四九宝库

杨淑芳 李志华 编选

俏皮话儿精选

山东人民出版社

俏皮话儿精选

9999

卷首语

俏皮话儿，就是歇后语，它是我国独特的民间艺术语言，是一种口耳相传，流行域广，运用灵活，富有表现力的譬喻。它含蓄幽默，诙谐风趣，把哲理与趣味、智慧与通俗、广泛的内容和特殊的结构融为一体，是不同历史阶段、不同地域、不同行业的民间智慧养育的幽默之花，千百年来以它特有的魅力为人民群众喜闻乐见，耳熟能详。

本书从浩瀚如海，随时变易的俏皮话儿中精选出 9999 条，按音序排列，并对不符合普通话规则的个别僻句做了调整，希望这样做不会破坏了这原汁原味的绿色语言。

四九宝库

目录

A

阿斗当官——有名无实

阿斗的江山——白送

阿奶抱孙子——老手

阿婆留胡子——反常

阿庆嫂倒茶——滴水不漏;点滴不漏

挨着火炉吃辣椒——里外发烧

挨鞭子不挨棍子——吃软不吃硬

挨踩的猪膀胱——瘪了

挨打的乌龟——缩脖子啦

挨刀的猪——不怕开水烫

挨了巴掌赔不是——奴颜媚骨

挨了棒的狗——垂头丧气;气急败坏

挨了打的夹尾巴狗——一副可怜相

挨了霜的狗尾巴草——蔫了

矮夫矬妻——各有短处

矮梯子上高房——搭不上言(檐)

矮子踩高跷——取长补短;自高自大

矮子穿高跟鞋——高也有限

矮子穿木屐——自高自大

矮子穿长袍——拖拖拉拉

矮子打墙——只有一半

矮子放风筝——节节高;节节上升

矮子放屁——低声下气

矮子观光——随声附和

矮子过河——安(淹)心

矮子看戏——随人说话;(人云亦云)

矮子里面拔将军——将就材料;短中取长

矮子面前说短话——惹人多心

矮子爬楼梯——巴不得
矮子爬坡——步步登高
矮子排队——倒数第一
矮子过河——难过
矮子想登天——上下为难
爱打官司逞英雄——穷斗气
爱克斯光照人——一眼看透
庵堂不叫庵堂——妙(庙)
庵堂里的木鱼——任人敲打
鹌鹑的尾巴——长不了
岸上看人溺水——见死不救
岸上捞月——白费功夫
按别人的脚码买鞋——生搬硬套
按方抓药——照办
按下葫芦起了瓢——此起彼落
案板顶门——管得宽
案板上的擀面杖——光棍一条
案板上的狗肉——上不了席
案板上的鱼——挨刀的货
案上的红烛——照亮别人，毁了自己
暗地里要拳——瞎打一阵
暗箭伤人——阴毒
暗室里穿针——难过
肮脏他娘哭一夜——肮脏死啦
鏊子上烙饼——翻来覆去

B

巴掌穿鞋——走不通
巴掌捧生姜——辣手
巴掌上摊煎饼——巧手

巴掌长疮——毒手
芭蕉插在古树上——粗枝大叶
芭蕉敲鼓——面面点到
芭蕉叶上垒鸟窝——好景不长
疤瘌眼长疮——坏到一块了
疤瘌眼照镜子——自找难看
疤瘌眼做梦娶西施——尽想好事
疤上生疮——根底坏
八百个铜钱穿一串——不成调(吊)
八百年前立的旗杆——老光棍
八磅大锤钉钉子——稳扎稳打
八宝饭掺糨糊——糊涂到一块
八宝鸭子——好的在里面
八辈子的老陈账——说不清
八哥的嘴巴——人云亦云
八哥学舌——说人话不办人事
八哥啄柿子——拣软的欺
八个老汉划拳——三令五申(伸)
八个麻雀抬轿——担当不起
八个歪脖坐一桌——谁也不正眼看
八个歪头坐一桌——各有偏向(项);谁也瞧不起谁
八卦炉里睡觉——热气腾腾
八卦阵里骑马——出路难找
八戒投胎——借尸还魂
八斤半的鳖吞了个大秤砣——狠心王八
八斤半的王八中状元——规矩(龟举)不小
八两线织匹布——离奇
八人抬轿七人到——缺一不可
八十岁老人吹喇叭——喘不上气
八十岁老头牵猴子——玩心不退

八十岁老头学打球——老手
八十岁老翁练琵琶——老生常谈（弹）
八十岁老翁学手艺——老来发奋
八十岁妈妈生儿子——难上加难
八十岁的老绝户头——后继无人
八十岁老奶奶跳皮筋——活宝
八十岁老人堂上睡——寿终正寝
八十岁奶奶搽胭脂——老来俏
八十岁奶奶的嘴——老掉牙
八十岁婆婆打哈哈——一望无涯（牙）
八十岁生儿子——代代落后
八十岁无儿——老来苦
八十岁学跳舞——老天真
八十岁学小旦——难为情
八仙过海——各显神通
八仙聚会——神聊
八仙桌上搁夜壶——不是正经家伙
八仙桌子盖酒坛——大材小用
八月的苦瓜——心里红
八月的石榴——龇牙咧嘴
八月十五吃元宵——与众不同
八月十五桂花香——花好月圆
八月十五生孩子——赶巧了
八月十五无月光——不该咱露脸
八月十五蒸年糕——趁早（枣）
八只脚的螃蟹——横行霸道
扒开肚皮——见了心
扒了墙的庙——慌了神
扒着软梯上天——高攀不上
拔葱种辣椒——一茬比一茬辣

拔节的竹笋——天天向上
拔了毛的凤凰——不如鸡
拔了毛的鸽子——飞不了
拔了塞子不淌水——死心眼
拔了桩的篱笆——七倒八歪
拔苗助长——急于求成
把脸装进裤裆里——见不得人
把砒霜放在糖浆里害人——心狠手辣
把皮鞋当帽子戴——不分上下
把妖魔当成菩萨拜——善恶不分
把状元关到门背后——埋没人才
靶纸上的洞眼——明摆着
霸王别姬——无可奈何
霸王的兵——散了
坝下开会——口上热闹
白脖老鸹——开口是祸
白脖子屎壳郎——有特色
白布进染缸——洗不清;洗不净
白布上盖黑印——黑白分明
白布做棉袄——反正都是理(里)
白菜烩豆腐——谁也不沾谁的光
白菜叶子炒大葱——亲(青)上加亲(青)
白骨精扮新娘——妖里妖气
白骨精打跟头——鬼把戏
白骨精放屁——妖气
白骨精跟猪八戒调情——一个想吃肉,一个想沾光
白骨精化美女——人面鬼心
白骨精说人话——妖言惑众
白骨精她妈——老妖精
白骨精想吃唐僧肉——痴心妄想

白骨精遇上了孙悟空——原形毕露
白鹤站在鸡群里——突出
白虎进门——大难临头
白开水画画——轻（清）描淡写
白开水泡雪——冷淡
白蜡树结桂花——根子不正；根骨不正
白脸蛋上打粉——可有可无
白脸狼穿西服——装文明人
白脸狼戴礼帽——冒充善人
白脸狼戴眼镜——冒充好人
白了尾巴尖的狐狸——老奸巨滑
白萝卜扎刀子——不出血
白麻纸上坟——哄死人
白猫钻灶坑——自己给自己抹黑
白毛乌鸦——与众不同
白米换糠——有福不会享
白面搀石灰——瞎搀和
白娘子斗法海——精打光
白娘子痛饮雄黄酒——得意忘形
白娘子遇许仙——千里姻缘一线牵
白皮萝卜紫皮蒜——辣嘴
白日见鬼——心里有病
白水下石膏——成不了豆腐
白水煮豆腐——淡而无味
白素贞哭断桥——想起旧情
白糖拌苦瓜——同甘共苦；苦中有甜；有苦有甜
白糖包砒霜——心里毒
白糖嘴巴刀子心——口蜜腹剑
白天盼月亮——休想
白天烧香，晚上逾墙——阴一套，阳一套

白天打灯笼——多此一举
白铁斧头——两面光
白仙鹤长了个秃尾巴——美中不足
白蚊钻心——暗里使坏
白银子碰着黑眼睛——见财起意
白纸做的灯笼——一点就亮
百尺大树当榫头——大材小用
百尺竿头挂剪刀——高才(裁)
百合田里栽甘蔗——苦根甜苗
百货大楼卖西装——一套一套的
《百家姓》读掉头个字——钱字当头
《百家姓》少了第二姓——没有钱
百脚虫怕老母鸡——一物降一物
百斤面蒸寿桃——废物点心
百里外去挑水——远水不解近渴
百里奚认妻——位高不忘旧情
百灵鸟唱歌——自得其乐
百灵戏牡丹——鸟语花香
百年的歪脖树——定型了
百年松作烧柴——屈才(材)
百日无雨——久有情(晴)
百岁老人吹火——老气
百岁老翁攀枯树——冒险
百岁养儿子——得之不易
百页窗里瞧人——把人看邪(斜)了
百丈高竿挂红灯——红到顶了
柏油烫猪头——连根拔
败家子回头——金不换
败将收残兵——重整旗鼓
拜罢天地去讨饭——没过一天好日子

拜佛到了天主堂——找错了庙门
拜了天地入洞房——好事成双
拜年的嘴巴——尽说好话
拜堂的夫妻——谢天谢地
拜堂听见乌鸦叫——扫兴
搬家丢了老婆——粗心
搬了菩萨没拆庙——老一套
搬起碌碡打天——不知天高地厚
搬起石头砸脚——自讨苦吃
搬石头打天——自不量力
搬梯子上天——没门
班房里的衙役——听差的
班门弄斧——假充内行
班头打他爹——公事公办
斑鸠吃小豆——心中有数
斑鸠打架——卖弄风流
斑鸠翻跟头——卖弄花屁股
斑马的脑袋——头头是道
扳不倒(不倒翁)掉到水缸里——没有稳当劲;摇摇摆摆
扳不倒掉进血盆里——红人儿
扳不倒盖被子——人小辈(被)大
扳倒大缸抓小米——摸底
扳倒葫芦洒了油——一不做,二不休
扳倒是鼓,反转是锣——两面派
扳倒石臼吓婆婆——泼妇
扳手紧螺帽——丝丝入扣
扳着腚亲嘴——不知香臭
扳着炉子烤头发——了(燎)不得
扳着指头算帐——有数
板凳倒立——四脚朝天

板凳爬上墙——怪事一桩
板凳上睡觉——翻不了身
板凳上钻窟窿——有板有眼
板门上贴门神——一个向东，一个向西
板上的泥鳅——无处藏身
板上钉钉子——没跑
板上敲钉子——稳扎稳打
半边铃铛——想（响）不起来
半边羊头——独角
半边猪头——独眼
半道上捡个喇叭——有吹的了
半吊子的一半——二百五
半个铜钱——不成方圆
半截梭子织布——独来独往
半斤对八两——彼此彼此
半斤放在四两上——翘得高
半斤换八两——谁也不沾谁的光
半斤鸭子四两嘴——好硬的嘴
半空中荡秋千——不落实
半空中的火把——高明
半空中吊帐子——不着实地
半空中放爆竹——想（响）得高
半空中盖房子——没处落脚
半空中刮蒺藜——讽（风）刺
半空中挂灯笼——上不着天，下不着地
半空中开吊车——谢（卸）天谢（卸）地
半空中抹糨糊——胡（糊）云
半空中响喇叭——空喊
半空中响锣鼓——远近闻名（鸣）
半两人说千斤话——好大的口气

半路出家——从头学起
半路开小差——有始无终
半路上的新闻——道听途说
半路上丢算盘——失算了
半路上捡个孝帽进灵棚——哭了半天，不知死的是谁
半路上留客——嘴上热情
半路上杀出个程咬金——突如其来
半瓶子醋——乱晃荡
半山坡上弯腰树——值(直)不得
半山腰倒泔水——下流
半山崖的观音——老实(石)人
半身子躺在棺材里——等死
半天云里踩钢丝——提心吊胆
半天云里出亮星——吉星高照
半天云里吹唢呐——想(响)得高
半天云里打电话——空谈
半天云里打麻雀——空对空
半天云里吊口袋——装疯(风)
半天云里翻账簿——算得高
半天云里挂地皮——大话(画)
半天云里看厮杀——袖手旁观
半天云里拉家常——空谈
半天云里扭秧歌——空欢喜
半天云里飘气球——高高在上
半天云里骑仙鹤——远走高飞
半天云里使锅铲——吵(炒)翻了天
半天云里响爆竹——放空炮
半天云里响炸雷——惊天动地
半天云里长满草——破天荒
半天云里做衣服——高才(裁)

半天云中拍巴掌——高手
半夜出门做生意——赚黑钱
半夜出世——害死(亥时)人
半夜吹笛子——暗中作乐
半夜打雷心不惊——问心无愧
半夜回家不点灯——瞎摸
半夜鸡叫——乱了时辰
半夜叫城门——自找钉子碰
半夜叫大姑娘的门——来者不善
半夜开窗户——心(星)在外头
半夜里扯裹脚——想起一条是一条
半夜里的被窝——正热乎
半夜里的铺盖——没人理
半夜里掘墓——捣鬼
半夜里抡大斧——瞎砍一通
半夜里梳头——出暗计(髻)
半夜里绣花——越看眼越花
半夜里摘茄子——不分老嫩
半夜里捉迷藏——瞎摸
半夜里聊天——瞎说
半夜里起来背粪筐——找死(屎)
半夜起来喝稀饭——迷迷糊糊
半夜起来骂阎王——等死等不到天亮
半夜牵来一头猪——哪里来的蠢货
半夜三更放火炮——一鸣惊人
半夜三更上吊——等死不到天明
半夜弹琴——暗中作乐
半夜偷鸡——看不见的勾当
半夜下馆子——吃闭门羹
半夜下雨——下落不明;不知下落

半夜做恶梦——虚惊一场
半夜做梦娶新娘——尽想好事
绊倒趴在粪池边——离死(屎)不远
绊倒拾个梨核——不肯(啃)
扮猪吃老虎——大智若愚
帮好汉打瘸子——以强凌弱
膀子一甩——不干了
傍着城隍打小鬼——得了神力
棒槌吹火——一窍不通
棒槌打缸——四分五裂
棒槌当针——粗细不分
棒槌缝衣服——当真(针)
棒槌改蜡烛——粗心
棒槌拉胡琴——粗中有细
棒槌敲竹筒——空想(响)
棒槌弹棉花——乱谈(弹)
棒打鸳鸯——两分离
棒子面打糨糊——不沾(粘)
棒子面煮葫芦——糊里糊涂
棒子面煮鸡蛋——糊涂蛋
蚌壳里取珍珠——谋财害命
蚌里藏珍珠——好的在里面
包大人的告示——开诚布公
包袱皮当毛巾——大方
包公搽粉——光图表面
包公的尚方宝剑——先斩后奏
包公的铡刀——不认人
包公开铡——除暴安良
包公杀亲侄——先治其内,后治其外
包公审案子——铁面无私

包公铡包勉——大义灭亲
包公铡驸马——为民作主
包公铡皇亲——法不容人
包公怒铡陈世美——一刀两断
包公升堂——一呼百应
包青天的横匾——明镜高悬
包脚布当头巾——高升到顶了
包脚布当孝帽——能到顶了
包脚布裹金条——内中有宝
包脚布满天飞——打的什么旗号
包脚布上飞机——一步(布)登天
包脚布围嘴——臭不可闻
包脚布做鞭子——文(闻)不能文(闻),武(舞)不能武(舞)
包脚布做围脖——臭一圈儿
包子吃到豆沙边——尝到甜头
包子里面加砒霜——陷(馅)害人
包子张嘴——露馅
苞谷棒子生虫——专(钻)心
苞谷秸喂牲口——天生的粗料
苞谷面做元宵——难捏合
苞谷蒸酒——有股冲劲
剥开的花生果——杀身成仁
剥开皮肉种红豆——入骨相思
剥了皮的蛤蟆——眼不闭,心不死
剥皮的青藤——一丝不挂
雹打的高粱秆——光棍一条
雹子砸了棉花棵——光杆司令
薄冰上迈步——战战兢兢
薄刀切豆腐——两面光
薄纸糊窗棂——一戳就穿

保姆当妈妈——熟手
保姆做嫁妆——替别人欢喜
保险柜里安家——图的是安全
保险柜里安雷管——暗藏杀机
宝囊里取物——手到擒来
宝塔顶上的宝葫芦——尖上拔尖
宝玉湘云哭贾母——各有各的心事
抱干柴放烈火——越帮越忙
抱孩子进当铺——拿人不当人
抱黄连敲门——苦到家了
抱火炉吃西瓜——不知冷热
抱鸡婆带崽——只管自己一窝
抱鸡婆抓糠壳——空喜一场
抱紧肚子装饱汉——空虚
抱木头跳江——不成(沉)
抱菩萨睡觉——一头冷来一头热
抱元宝跳井——舍命不舍财
抱着茶壶喝水——嘴对嘴
抱着灯心救火——引火烧身
抱着擀面杖当笙吹——一窍不通
抱着孩子拜天地——双喜临门
抱着葫芦不开瓢——死脑筋
抱着黄连做生意——苦心经营
抱着金砖挨饿——活该
抱着金砖跳海——人财两空
抱着蜡烛取暖——无济于事
抱着木炭亲嘴——碰一鼻子灰
抱着木棍推磨——死转圈儿
抱着琵琶进磨坊——对牛弹琴
抱着琵琶跳井——越谈(弹)越深

抱着钱匣子睡觉——财迷
抱着石头跳深渊——死不回头
抱着铁耙子亲嘴——自找钉子碰
鲍叔识管仲——知心
刨嘴吃刨花——填不饱肚子
暴雨前的闪电——大发雷霆
爆炒鹅卵石——油盐不进
爆米花沏茶——泡汤了
爆竹店里失火——热闹
爆竹掉进水里——不想(响)
豹狗子咬核桃——没吃着人(仁),倒咯了牙
报国寺里卖骆驼——没有那个事(寺)
杯弓蛇影——自相惊扰
杯水车薪——无济于事
背鼓进祠堂——一副挨打的相
背鼓上门——寻着打
背鼓追槌——自讨打
背棺材跳河——自取灭亡
背锅上坡——钱(前)紧
背菩萨下河——淘神
背石头游华山——累赘
背死人过河——费力不讨好
背媳妇过独木桥——又惊又喜
背先人过河——不失(湿)谱
背油桶救火——惹火烧身;引火烧身
背着醋罐子讨饭——穷酸
背着粪筐上银行——臭钱
背着粪篓满街串——寻死(屎)
背着甘蔗上楼梯——步步高,节节甜
背着棺材上战场——往最坏处想

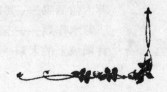

背着哈哈镜走路——不怕后人见笑
背着黑锅做人——直不起腰
背着灵牌上火线——拼啦
背着灵牌下火海——自取灭亡
背着米讨饭——装穷
背着棉絮过河——越背越重
背着牛头不认帐——死赖
背着老婆看戏——丢人又受累
背着唢呐坐飞机——吹上天了
背着娃娃推磨——添人不添劲
北极的冰川——顽固不化
北京的萝卜——心里美
北京鸭吃食——全靠填
被踩烂的毒菌——浑身冒坏水
被虫子咬过的果实——未老先衰
被单补袜子——大材小用
被埋没的陶俑——难出头
被窝里放屁——能文(闻)能武(捂)
被窝里磨牙——怀恨在心
被窝里使眼色——自欺欺人
被窝里养老虎——留下祸根
被子裹冰棒——包涵(寒)
背后拉弓——暗箭伤人
背后施一礼——没人领情
背后捅刀子——暗里伤人
背靠背睡觉——体贴人
背靠背走路——各奔东西
背人偷酒喝——冷暖自己知
背水作战——不留后路
背阳坡上的太阳——难长久

背着人作揖——各尽其心
笨姑娘纳鞋底——坑坑洼洼
笨驴过桥——步步难
笨婆娘打架——拉拉扯扯
笨贼偷法官——自投罗网
笨猪拱蒺藜——自讨苦吃
逼公鸡下蛋——故意刁难
逼生蚕做硬茧——有意为难
逼上门的生意——没有好货
逼着公牛生子——强人所难
逼着山羊去拉犁——拼老命
鼻尖上吊镰刀——挂不住
鼻尖上抹黄连——苦在眼前
鼻尖上着火——迫在眉睫
鼻孔穿绳子——自谦(牵)
鼻孔喝水——够呛
鼻孔里的汗毛——了(燎)不得
鼻孔里长瘤子——气不顺
鼻窟窿看天——有眼无珠
鼻梁碰着锅底灰——触霉头
鼻梁上堆屎——不好开口
鼻梁上挂眼镜——四平八稳
鼻梁上套绳索——让人牵着鼻子走
鼻梁上推小车——走投(头)无路
鼻涕流到嘴里——自吃
鼻涕流进喉咙里——吃亏沾光没外人
鼻涕往上流——反常
鼻头搽白粉——一副奸相
鼻头上摆摊子——眼界宽
鼻头上挂炊帚——耍(刷)嘴

鼻头上挂粪桶——不知香臭
鼻头上抹蜂蜜——干馋捞不着
鼻头上抹鸡屎——脸上尴尬
鼻头上长犄角——出格
鼻眼里钻跳蚤——好进难出
鼻子里插葱——装相(象)
鼻子里灌醋——酸溜溜的
鼻子上安雷管——祸在眼前
鼻子上挂灯笼——明眼人
鼻子上挂肉——油嘴滑舌
鼻子生疮贴膏药——不顾脸面
鼻子眼里生豆芽——怪事一桩
比着葫芦画瓢——生搬硬套
笔杆子吹火——小气
笔杆子吞进肚——胸有成竹
笔尖蘸石灰——净写别(白)字
壁虎的尾巴——节节活
壁画上耕牛——不中用
壁画上的樱桃——好看不好吃
壁上的春牛——离(犁)不得
壁上挂魁星——鬼话(画)
壁上挂帘子——不像话(画);不成话(画)
闭口葫芦——肚里空
闭眼吃虱子——眼不见为净
闭眼撕皇历——瞎扯
闭眼听见乌鸦叫,睁眼看见扫帚星——倒霉透了
闭眼撞南墙——碰得头破血流
闭着眼睛鼓风——瞎吹
闭着眼睛哼曲子——心里有谱
闭着眼睛砍木头——胡批(劈)

闭着眼睛卖布——瞎扯
闭着眼睛过河——听天由命
闭着眼睛跳舞——盲目乐观
闭着眼睛跳崖——盲目冒险
闭着眼睛下围棋——黑白不分
闭着眼睛训话——瞎说
闭着眼睛捉麻雀——瞎碰
闭着眼睛走南墙——瞎撞
蝙蝠看太阳——傻了眼
蝙蝠扑太阳——不知高低
鞭杆做大梁——不是正经东西
鞭炮两头点——想(响)到一块了
鞭子抽耳朵——打听打听
鞭子抽蚂蚁——专拣小的欺
扁担吹火——一窍不通
扁担戳鸡蛋——捣蛋
扁担捣鸡笼——鸡飞蛋打
扁担倒了也认不出来——一字不识
扁担靠在电杆上——矮了半截
扁担两头挂萝筐——成双成对
扁担上睡觉——想得宽
扁担腾空——诽谤(飞棒)
扁担挑彩灯——两头美
扁担挑柴火——心(薪)挂两头
扁担挑灯笼——两头明
扁担砸杠子——直打直
扁担做桨用——划不来
扁担做桅杆——担风险
扁豆绕在竹竿上——有靠了
扁鹊开处方——手到病除

饺子馅里搀砒霜——心里毒
便桶底渗出水来——下流
变戏法的亮手帕——不藏不掖
表兄娶表妹——亲上加亲
婊子立牌坊——假正经
婊子骂娼——一路货
婊子送客——假仁假义
裱糊匠上天——胡(糊)云
裱画店失火——自己丢出话(画)来
鳖蛋上抹香油——又圆又滑
鳖咬手指头——抓住不放
蹩脚郎中——头痛医头,脚痛医脚
蹩脚木匠的活儿——东一句(锯),西一句(锯)
瘪瓜子——不诚(成)实
瘪粒儿的麦穗——头扬得高
瘪嘴吹箫——走漏风声
兵败如山倒——溃不成军
兵来将挡,水来土掩——各有一技之长
兵营里养妓女——乱了军心
冰雹砸荷叶——落花流水
冰雹砸了棉花棵——全是光棍
冰槽里冻黄瓜——干脆
冰大坂上的驴——四脚朝天
冰冻三尺——非一日之寒
冰河上赶鸭子——大家耍滑
冰窖里嬉耍——冷笑
冰库里点蜡——洞(冻)房花烛
冰块掉进醋缸里——寒酸
冰凌当拐杖——靠不住
冰凌挂胸口——凉透心

冰凌调豆腐——难办(拌)
冰凌窝里打哈哈——冷笑
冰山上画画——好景不长
冰上的爬犁——溜得快
冰糖煮黄连——同甘共苦
冰糖做药引子——苦尽甜来
冰天雪地发牢骚——冷言冷语
冰雪埋到肚皮上——凉了半截
病床上插牡丹——临死还贪花
病鬼开药店——自产自销
病好打太医——恩将仇报
病好遇良医——晚了;迟了
病猫的尾巴——翘不起来
病人拍皮球——有气无力;少气无力
病重不吃药——等死
拨好的闹钟——不到时候不打点
拨着头发找疤拉——吹毛求疵(刺)
玻璃板上涂蜡——又光又滑
玻璃杯盛雪——明明白白
玻璃灯笼——里外明
玻璃灯罩——吹起来了
玻璃掉在镜子上——明打明
玻璃肚皮——看透心肝
玻璃缸里的金鱼——掀不起大浪
玻璃缸里养鱼——大不了
玻璃耗子琉璃猫,铁铸公鸡铜羊羔——一毛不拔
玻璃镜上的人儿——有影无踪
玻璃筷子夹凉粉——光对光
玻璃瓶里插蜡烛——心里亮;肚里明
玻璃瓶里装王八——原(圆)形毕露

玻璃瓶装宝物——一眼看透
玻璃菩萨——神明
玻璃上跑车——没辙
玻璃上绣花——白费功夫
玻璃娃娃——明白人
玻璃袜子玻璃鞋——名角(明脚)
玻璃心肝水晶人——明白人
玻璃做鼓——经不起敲打
菠菜煮豆腐——一清(青)二白
伯乐挥鞭——骑马找马
博物馆的陈列品——老古董
薄情郎休妻——另有新欢
脖颈上磨刀——好险
脖颈上拴头驴——不是正庄(桩)
脖子里套绳子——想死
脖子上安轴承——滑头滑脑
脖子上插电扇——尽走上风
脖子上挂锣槌——吊儿郎当
脖子上挂笊篱——劳(捞)心
脖子伸进铡刀下——送死
钹子翻转敲——唱反调
跛脚赶到,会场散掉——晚了;迟了
跛脚马碰到瞎眼骡——难兄难弟
跛脚马上战场——有死无活
跛子拔萝卜——歪扯
跛子拜年——以歪就歪
跛子踩高跷——早晚有他的好看
跛子打围——坐地呐喊
跛子赶马——望尘莫及
跛子爬山——步步有险

跛子跑步——大摇大摆
跛子骑瞎马——各有所长
跛子上台——立场不稳
簸箕里的蚂蚁——路子多
捕风捉影——有假无真
补锅的摆手——不拘(锔)
补锅匠的脊梁——背黑锅
补锅匠阉猪——充内行
补锅匠栽跟头——倒贴(铁)
不保温的热水瓶——没有胆
不背秤砣挑灯草——避重就轻
不成葫芦不成瓢——两不像
不吃羊肉羊膻臭——自背臭名
不吃羊肉沾羊臊——自背臭名
不出鸡的鸡蛋——坏蛋
不出芽的谷子——坏种
不搭棚的葡萄——没有架子;不摆架子
不倒翁得相思病——坐卧不安
不倒翁掉在算盘上——混帐
不犯王法坐大牢——冤枉
不恨绳短,只怨井深——错怪
不会喝酒伴醉客——舍命陪君子
不叫的狗——暗下口
不敬东家敬伙计——认错了主
不开花的玫瑰——净刺
不啃骨头吃豆腐——吃软不吃硬
不能成亲仍相爱——藕断丝连
不碰南墙不回头——顽固到底
不识字的人看布告——一抹黑
不熟的葡萄——酸气十足

不是船工乱弄竿——充内行

不听梆子听大鼓——说的比唱的好听

不听曲子听评书——说的比唱的好听

不长毛的家雀——飞不了

不栽果树吃桃子——坐享其成

布袋里盛猫——装迷糊

布袋里装菱角——奸(尖)的出头

布袋里装牛角——内中有弯

布机上的棉线——千头万绪

布娃娃的眼睛——有眼无珠

步枪卡了壳——不响

C

擦镫时间多，骑马时间少——本末倒置

擦亮眼睛更敢干——明目张胆

才脱了阎王，又撞着小鬼——祸不单行

才子佳人结鸳鸯——好事成双

才子配佳人——恰好一对

财神爷摆手——没有钱

财神爷打官司——有钱就有理

财神爷发慈悲——有的是钱

财神爷翻脸——不认账

财神爷放账——无利可图

财神爷摸脑袋——好事临头

财神爷要饭——装穷

财神爷穿烂衫——人不可貌相

财主劫路——为富不仁

裁缝搬家——依依(衣衣)不舍

裁缝打狗——有尺寸

裁缝打架——真(针)干

裁缝的尺子——量人不量己
裁缝撂剪子——不睬(裁)
裁缝拿线——认真(纫针)
裁缝铺吵架——争长论短
裁缝师傅的尺子——量体裁衣
裁缝师傅对绣娘——一个行当
裁缝师傅手中忙——穿针引线
裁缝师傅做衣服——千真(针)万真(针)
裁衣不用剪子——胡扯
踩瘪了的鱼泡——泄气
踩凳子钩月亮——差远了
踩高跷的过河——半截不是人
踩高跷上高墙——胆战心惊
踩死蚂蚁也要验尸——过分认真
踩着鼻子上脸——欺人太甚
踩着地图走路——一步十万八千里
踩着高跷过独木桥——艺高胆大
踩着高跷扇扇子——大摇大摆
踩着肩膀撒尿——太欺负人
踩着麻绳当毒蛇——大惊小怪
踩着石头过河——脚踏实地
踩着西瓜皮打排球——能推就推,能滑就滑
踩着银桥上金桥——越走越明
彩虹和白云谈情——一吹就散
菜刀切藕——片片有眼
菜刀剃头——太悬乎
菜地里围篱笆——没有不透风的墙
菜瓜打锣——一锤买卖
菜篮子装泥鳅——爬的爬,溜的溜
菜园里的辣椒——越老越红

菜园里的羊角葱——越老越辣

菜籽落到针眼里——遇了缘(圆)

菜籽里的黄豆——数它大

蔡伦论战——纸上谈兵

蔡瑁迎刘备——好话说尽,坏事做绝

参谋皱眉头——一筹(愁)莫展

餐桌上搁痰盂——不是正经家伙

蚕宝宝吃桑叶——胃口越来越大

蚕宝宝拉稀——少私(丝)

蚕宝宝牵蜘蛛——私(丝)连私(丝)

蚕宝宝做茧——自缠身

蚕豆开花——黑了心

苍蝇采花——装疯(蜂)

苍蝇的世界观——哪里臭往哪里钻

苍蝇叮大粪——臭味相投

苍蝇叮狗屎——一哄而上

苍蝇叮鸡蛋——无孔不入

苍蝇叮菩萨——没有人味

苍蝇飞到牛胯上——抱粗腿

苍蝇飞进花园里——装疯(蜂)

苍蝇飞进牛眼里——自讨麻烦

苍蝇跟屎壳郎做朋友——臭味相投

苍蝇会蜘蛛——自投罗网

苍蝇豁了鼻——没脸

苍蝇见粪堆——盯(叮)住不放

苍蝇卡喉咙——恶心

苍蝇落在臭蛋上——见缝下蛆

苍蝇碰玻璃——看到光明无前途

苍蝇碰上蜘蛛网——难脱身

苍蝇耍灯草——死中作乐

苍蝇推墙——自不量力
苍蝇围着鸡蛋转——没门
苍蝇洗脸——假干净
苍蝇撞上癞蛤蟆——自送一口肉
苍蝇钻到瓶瓶里——处处碰壁
苍蝇钻茅房——沾腥惹臭
苍蝇嘴巴狗鼻子——灵得很
操场上捉迷藏——无处藏身
曹操八十万兵马过独木桥——没完没了
曹操败走华容道——兵慌马乱
曹操吃鸡肋——食之无味，弃之可惜
曹操打徐州——报仇心切
曹操割须——以己律人
曹操派蒋干——用人不当
曹操杀蔡瑁——操之过急
曹操杀华佗——恩将仇报
曹操杀吕布——悔之莫及
曹操杀吕伯奢——将错就错
曹操用人——唯才是举
曹操遇马超——割须弃袍
曹操张飞打哑谜——你猜你的，我猜我的
曹操转胎——疑心重
曹刿论战——一鼓作气
草把儿打仗——假充好汉
草把儿撞钟——不想(响)
草把儿作灯——粗心
草船借箭——巧用天时
草丛里的眼镜蛇——歹毒
草袋换布袋——一代(袋)强似一代(袋)
草地上的蘑菇——单根独苗

草里的斑鸠——不知春秋
草帽戴在膝盖上——不对头
草帽当锅盖——乱扣帽子
草帽破了顶——露头
草帽子端水——一场空
草人过河——漂浮不定
草人落水——不成(沉)
草上的露水——不久长
草上露水瓦上霜——见不得阳光
草窝里扒出个状元郎——埋没人才
草鞋里面长青草——慌(荒)了手脚
草鞋上镶珍珠——不值得
草原上的疯骆驼——见人就撵
草原上的苇子——肚里空
草原上点火——着慌(荒)
草原上放牧——漫无边际
厕所顶上开窗子——臭气冲天
厕所里吃烧饼——难开口
厕所里的茅缸——装死(屎)
厕所里放屁——不知香臭
厕所里开店铺——离死(屎)不远
厕所里照镜子——臭美
厕所里埋地雷——激起公愤(粪)
茶杯里的胖大海——自我膨胀
茶馆搬家——另起炉灶
茶馆的火剪——倒霉(捣煤)
茶馆里的买卖——滴水不漏
茶馆里挂斧头——胡(壶)作(斫)非为
茶馆里开除的伙计——哪壶不开提哪壶
茶馆里伸手——胡(壶)来

茶壶里打伞——支撑不开
茶壶里开染房——无法摆布
茶壶里泡豆芽——受不完的勾头罪
茶壶里烧炭——一肚子气
茶壶里喊冤——胡(壶)闹
茶壶里洗澡——扑腾不开
茶壶里下挂面——难捞
茶壶里下元宵——好进难出
茶壶里煮饺子——肚里有货倒不出
茶壶没肚儿——光剩嘴
茶铺子里的水——滚开
搽粉进棺材——死要面子
搽粉照镜子——自我欣赏
搽米汤上吊——糊涂死了
搽胭脂亲嘴——血口喷(碰)人
搽胭脂坐飞机——美上天了
拆城隍庙竖土地庙——因小失大
拆东墙补西墙——顾此失彼
拆房逮耗子——得不偿失
拆房卖瓦——光顾眼前
拆口袋做大襟——改邪(斜)归正
拆了大梁当长枪——大干一场
拆了的破庙——没有神
拆了房子搭鸡棚——不值得
拆了茅房盖楼房——臭底子
拆了鞋面做帽沿——顾头不顾脚
拆庙搬菩萨——干净利索
拆庙打泥胎——顺手杀一刀
拆庙赶和尚——各奔东西
拆庙赶菩萨——没有神

拆袜子补鞋——顾面不顾里
拆屋放风筝——只图风流不顾家
拆屋卖瓦——穷思竭想
柴火堆上倒汽油——点火就着
柴火棍搔痒——一把硬手
柴油机抽水——吞吞吐吐
豺狗子见了饿狼——一个比一个凶
豺狼朝羊堆笑脸——阴险歹毒
豺狼恨猎人——死对头
豺狼披羊皮——冒充好人
豺狼请客——没安好心
豺狼头上找鹿茸——异想天开
豺狼遭火烧——焦头烂额
蟾蜍向蛤蟆借毛——两家无
馋鬼抢生肉——贪多嚼不烂
馋猫挨着锅台转——别有用心
馋猫吃耗子——生吞活剥
馋猫见了腥味——沾上了
馋嘴巴走进药材店——自讨苦吃
产妇打哼哼——无病呻吟
铲不掉的锅巴——死硬
常来的客人坐冷板凳——屡见不鲜
常胜将军——百战百胜
常胜将军出征——所向无敌
常胜将军回朝——凯旋归来
常胜将军临敌——旗开得胜
嫦娥脸上长痣——美中不足
长白山的野人参——越老越好
长坂坡前的赵云——孤军奋战
长虫(蛇)吃棒槌——直脖啦

长虫吃扁担——直棍一条
长虫吃高粱——顺杆爬
长虫吃鸡蛋——疙疙瘩瘩
长虫吃了烟袋油——直哆嗦
长虫打架——绕脖子
长虫戴草帽——细高挑儿
长虫当拐杖——靠不住;不可靠
长虫过篱笆——见缝就钻
长虫过乱石滩——绕来绕去
长虫过门槛——点头哈腰
长虫爬进枪筒里——难回头
长虫碰壁——莽(蟒)撞
长虫吞针——扎心
长虫钻刺蓬——有去无回
长虫钻进酒瓶里——进退两难
长工的岁月——难熬
长工的住房——一无所有
长工家里殓死人——家破人亡
长工指望月月满,短工指望太阳落——混日子
长江大桥上钓鱼——差远了
长江里的石头——经过风浪
长江里漂木头——付(浮)之东流
长江涨大水——来势凶猛
长脚蚊叮木脑袋——看错了人
长颈鹿脖子仙鹤腿——各有所长
长颈鹿的脑袋——高人一头
长袍马褂瓜皮帽——老一套
长青藤搭在墙头上——难分难解
长衫改夹袄——取长补短
长绳子拉海带——根子在下面

长尾巴蝎子——最毒
长线放风筝——慢慢来
长竹竿进城门——难转弯
长竹竿进巷道——进来直去
唱大鼓的吞石灰——白说
唱歌离了谱——不入调
唱驴皮影的——耍人
唱木偶戏的——尽捉弄人
唱戏不拉胡琴——干嚎
唱戏打边鼓——旁敲侧击
唱戏的挨刀——无伤大体
唱戏的扮新郎——快活一时算一时
唱戏的穿龙袍——成不了皇帝
唱戏的穿玻璃鞋——名角(明脚)
唱戏的吹胡子——假生气
唱戏的打板子——一五一十
唱戏的点兵——名不副实
唱戏的掉眼泪——可歌可泣
唱戏的教徒弟——幕后指点
唱戏的抹两鬓——装模作样
唱戏的腿抽筋——下不了台
唱戏的摇鹅毛扇——假斯文
唱戏的没主角——胡闹台
唱小旦的哭瞎了眼——替古人担忧
抄着手过日子——等着饿死
钞票洗眼——见钱眼开
超载的火车——想惹祸
朝天放炮——空想(响)
朝天一箭——无的放矢
朝廷表态——一言为定

朝廷的太监——后继无人
朝廷老爷拾大粪——有福不会享
晁盖的军师——无(吴)用
炒菜不放盐——淡而无味
炒菜的铲子——尝尽了酸甜苦辣
炒菜的铁锅——腻透了
炒菜放油盐——理所当然
炒菜锅里的四季豆——油盐不进
炒蚕豆下酒——干脆
炒栗子崩瞎眼——看不出火候来
炒面捏娃娃——熟人
炒面捏窝头——捏不拢
炒熟的黄豆——难发芽
炒咸菜不放盐——有言(盐)在先
车把式扔鞭子——没人敢(赶)
车翻了去驯马——晚了
车干塘水捉鱼——只图一回
车屁股安发动机——后劲大
车胎拔下气门心——泄气
车胎放炮——瘪了
车胎煞气——纰(皮)漏
车载千斤有地担——与己无关
车站的铁轨——路子多
扯公脚盖婆脚——东拉西扯
扯裤子补补丁——堵不完的窟窿
扯着胡子打秋千——谦虚(牵须)
扯着耳朵腮也动——互相牵连
扯着耳朵擤鼻涕——不对路数
扯着胡子打滴溜——嘴上功夫
扯着老虎尾巴——抖威风

扯着老虎尾巴喊救命——自己找死

扯着绳索挣死牛——费力不讨好

扯足顺风篷——得势

沉香木当柴烧——用材不当

陈谷做种子——难发芽

陈世美不认秦香莲——喜新厌旧

陈世美打轿夫——不识抬举

陈世美犯法——包办(包公办案之意)

陈世美娶个再嫁女——同床异梦

陈世美杀妻——忘恩负义

臣民进皇宫——层层深入

趁风扬灰——掩人耳目

趁水踏沉船——助人为恶

趁下雨和泥——顺便

趁着热汤下笊篱——赶紧

撑不开的伞——没骨子

撑船不用篙——放任自流

撑船的老板——看风使舵

撑杆打水——此起彼落

撑歪墙的木头——硬顶

撑阳伞戴凉帽——多此一举

成吉思汗的兵马——所向无敌

成熟的谷穗——耷拉着脑袋

成熟的花生果——满人(仁)

成天想蚕茧——只顾私(丝)

城隍出主意——诡(鬼)计多端

城隍的扇子——扇阴风

城隍丢斗笠——冒(帽)失鬼

城隍老爷出天花——净是鬼点子

城隍老爷戴孝——白跑(袍)

城隍老爷发神经——鬼迷心窍
城隍老爷嫁女儿——鬼打扮
城隍老爷卖蚕豆——鬼吵(炒)
城隍老爷娶妻——抬轿的是鬼,坐轿的也是鬼
城隍老爷剃头——鬼头鬼脑
城隍庙搬家——神出鬼没
城隍庙的判官——龇牙咧嘴
城隍庙的菩萨——不怕鬼
城隍庙里朝观音——走错门
城隍庙里出告示——吓鬼
城隍庙里打官司——死对头
城隍庙里打饥荒——穷鬼
城隍庙里打扇——刮阴风
城隍庙里的匾额——有求必应
城隍庙里的泥胎——鬼样子
城隍庙里的算盘——不由人拨拉
城隍庙里挂弓箭——色(射)鬼
城隍庙里讲故事——鬼话连篇
城隍庙里聚会——净是鬼
城隍庙里卖假药——骗鬼
城隍庙里冒烟——点鬼火
城隍庙里闹内讧——鬼打鬼
城隍庙里玩魔术——鬼花招
城隍奶奶烧柴灶——鬼火直冒
城隍娘娘怀孩子——怀鬼胎
城隍婆坐月子——养神
城隍爷不穿裤子——羞死鬼
城隍爷躲债——穷鬼
城隍爷脚上长草——慌(荒)了神
城隍爷扑蝴蝶——慌了神

城隍与玉皇——有天地之别
城隍找土地爷拉呱——神聊
城门洞里扛竹竿——直进直出
城门口的砖头——踢出来的
城门楼上的麻雀——见过大世面
城门楼上的哨兵——高手(守)
城门楼上吊大钟——群众观点
城门楼上挂猪头——架子不小
城墙上的草——风吹两边倒
城墙上点烽火——告急
城墙上挂钥匙——开诚(城)相见
城墙上拉屎——出臭风头
城墙上骑瞎马——冒险
城头上吊帘子——没门
城头上放风筝——出手高
城头上盖城楼——底子空
城头上挂猪肝——少心没肺
城外头开钱庄——外行
盛酒的葫芦——度(肚)量大
程咬金拜大旗——众望所归
程咬金的斧头——就那么几下子
程咬金的三斧头——虎头蛇尾
程咬金做皇帝——不耐烦
乘火车看外景——大有倒退之势
乘慢车来的人——不速之客
乘字底下丢了人——真乖
秤不离砣，公不离婆，扁担不离油篓篓——各有各的搭档
秤锤扔到大海里——直线下降
秤杆打人——有斤两
秤杆掉了星——不识斤两

秤杆的定盘星——从零开始
秤钩打针——以曲求伸
秤钩子钓鱼——捞不着
秤砣掉鸡窝——鸡飞蛋打
秤砣掉井里——硬到底
秤砣掉在厨柜里——砸人饭碗
秤砣掉在鼓上——不懂(扑通)
秤砣掉在瓦釜里——砸锅
秤砣跌钢板——落地有声
秤砣过河——不服(浮)
秤砣囫囵吞——铁了心
吃霸王的饭,给刘邦干事——不是真心
吃罢黄连劝儿媳——苦口婆心
吃包子扔皮儿——各有所好
吃饱饭闲嗑牙——没事找事
吃别人嚼过的馍——没味道
吃冰棍拉[排泄(大便)]冰棍——没话(化)
吃曹家饭,管刘家事——心不在焉
吃炒面哼小曲——含糊其辞
吃灯草灰长大的——说话没分量
吃灯草拉灰屎——不知轻重
吃豆腐多了——嘴松
吃点心抹酱油——不对味
吃多了安眠药——不省悟
吃蜂蜜戴红花——甜美
吃蜂蜜说好话——甜言蜜语
吃狗肉喝白酒——里外发烧
吃罐头没刀——不好开口
吃过黄连喝蜜糖——苦尽甜来
吃过午饭打更——为时过早

吃过晌午搭早车——赶不上趟
吃海水长大的——管闲(咸)事
吃河水长大的——管得宽
吃黄瓜蘸雪——乏味
吃鸡蛋不拿钱——混蛋
吃鸡蛋噎脖子——进退两难
吃家饭屙野屎——吃里爬外
吃饺子不吃馅——调(挑)皮
吃荆条屙箩筐——满肚子瞎编
吃口樱桃肉塞了嗓子眼——心眼狭小
吃辣椒屙不下——两头受罪
吃辣椒喝白干——里外发烧
吃狼奶长大的——凶恶极了
吃烙饼卷木炭——心肠黑
吃雷公屙火闪——胆大包天
吃凉粉发抖——凉透心
吃了不害臊的药——不知羞耻
吃了豆腐渣——散了心
吃了定心丸——做事踏实
吃了对门谢隔壁——晕头转向
吃了虎豹的心肝——好大的胆子
吃了鸡下巴——爱搭嘴
吃了蒺藜豆——扎心
吃了开心药——合不拢嘴
吃了枯炭——黑了心
吃了雷公的胆——天不怕地不怕
吃了灵芝草——长生不老
吃了麻绳子——尽说长话
吃了煤炭——火气冲天
吃了鸟枪药——火气冲天

吃了砒霜的老母鸡——抬不起头来
吃了砒霜的毒狗——害人先害己
吃了三天斋就想上西天——功底还浅
吃了三碗红豆饭——满肚子相思
吃了烧茄子——多心
吃了剩饭想点子——光出馊主意
吃了算盘珠——肚里有数
吃了窝脖鸡——憋气
吃了五味想六味——贪心不足
吃了线团子——心里结疙瘩
吃了蝎子草的骆驼——四脚朝天
吃了一堆烂芝麻——满肚子坏点子
吃了一筐烂石榴——满肚子坏点子
吃了鱼钩的牛打架——勾心斗角
吃了早饭睡午觉——乱了时辰
吃了猪肝想猪心——贪心不足
吃了猪苦肚——心里苦
吃琉璃屙琉璃蛋——死(屎)顽固
吃柳条拉笊篱——肚里编
吃香油唱曲子——油腔滑调
吃棉花拉线团——肚里有文章
吃棉花长大的——心软
吃面条找头子——多余
吃内脏的虫子——心腹之患
吃猪肉念佛经——冒充善人
吃猪血屙黑屎——当面见效
吃竹竿长大的——直性人
痴人说梦——胡说八道
池里的王八,塘里的鳖——一路货
池塘里的荷花——出污泥而不染

池塘里的泥鳅——掀不起大浪
池塘里的藕——心眼多
池塘里摸菩萨——劳(捞)神
池中捞藕——拖泥带水
赤膊捅马蜂窝——蛮干
赤膊钻进蒺藜窝——浑身是刺
赤脚的和尚——两头光
赤脚撵穿高跟鞋的——赶时髦
虫吃沙梨——心里肯(啃)
虫蛀的扁担——经不住两头压
虫蛀的老槐树——肚里空
虫子钻进核桃里——假充好人(仁)
崇祯皇帝上吊——走投无路
重打鼓来另开张——从头来
重阳节上山——登高望远
宠了媳妇得罪娘——好一个,恼一个
冲瞎子问路——方向不明
冲着和尚骂秃子——寻着惹气
冲着柳树要枣吃——故意刁难
冲着姨夫叫丈人——乱认亲
抽刀断水——枉费心机
抽风的鸭子——光走歪道
抽风攥拳头——手紧
抽了脊梁骨的癞皮狗——扶不上墙
抽了架的丝瓜——蔫了
抽了筋的老虎——塌了架
抽香烟打吗啡——一码是一码
抽芽的蒜头——多心
抽烟不带火——沾光
绸子布包狗屎——臭名在外

仇人打擂——有你无我
仇人相见——分外眼红
丑八怪搽胭脂——自以为美
丑八怪戴花——不知自丑
丑八怪相媳妇——乔装打扮
丑女嫁丑汉——丑上加丑
丑婆娘逛灯——活现眼
丑媳妇见公婆——迟早一回
丑小鸭变天鹅——高升了
臭虫爬到拜盒里——抓住理(礼)了
臭虫咬胖子——揩油
臭虫咬人——出嘴不出身
臭豆腐擦鼻子——霉气
臭豆腐上撒大粪——臭上加臭
臭豆腐下油锅——有点香
臭狗舍不得臭屎坑——本性难移
臭媚眼做给瞎子看——莫名其妙
臭水坑里的核桃——不是好人(仁)
臭袜子当手帕——亏你做得出
出巢的蜜蜂——满天飞
出得龙潭,又入虎穴——祸不单行
出东门,往西拐——糊涂东西
出洞的狐狸——贼头贼脑
出洞的黄鼠狼——又鬼祟又狠毒
出洞的老鼠——左顾右盼
出锅的大虾——卑躬(背弓)屈膝
出锅的烧鸡——窝着脖子别着腿
出国的大轮船——外行(航)
出家人娶媳妇——不守规矩
出嫁的姑娘——有主

出来进去走窗户——没门
出了厨房进冰窖——忽冷忽热
出了灯火钱，坐在暗地里——明吃亏
出了笼的黄雀——自由自在
出了土的笋子——冒尖
出了澡堂下茶馆——里外涮
出笼的馍馍烤着吃——欠火候
出门戴口罩——嘴上一套
出门带条狗——随人走
出门逢债主——扫兴
出门逢债主，回屋难揭锅——内外交困
出门骑骆驼——不用照料
出门坐飞机——远走高飞
出水的芙蓉——一尘不染
出水的虾子——又蹦又跳
出水才看两腿泥——走着瞧
出膛的子弹——永不回头
出头的椽子——先烂
出土的春笋——捂不住
出土的甘蔗——节节甜
出土竹笋逢春雨——节节高
出土文物——老古董
出须的萝卜——空虚
出衙门骂大街——没事找事
初二三的夜晚——处处不明
初二三的月亮——不明不白
初生的牛犊——不怕虎
初生的娃娃——小手小脚
初一吃十五的饭——前吃后空
初一的潮水——看涨

初一晚上走路——漆黑一片
初一夜里出门——处处不明
初一早上放鞭炮——正适时
除夕晚上借砧板——不看时候
除夕晚上投井——活够了
除夕夜守岁——送旧迎新
厨房里的馋猫——记吃不记打
厨房里的垃圾——鸡毛蒜皮
厨房里落石头——砸锅
厨房旁边盖茅房——香香臭臭
厨子罢工——不想吵(炒)
厨子搬家——另起炉灶
厨子炒菜——添油加醋
厨子解围裙——不干了
厨师的围裙——油透了
锄头刨黄连——挖苦
楚霸王困垓下——四面楚歌
楚河汉界——一清二楚
楚庄王猜谜语——一鸣惊人
揣着明白说糊涂——装傻
穿背心戴棉帽——不相称
穿背心作揖——露两手
穿草鞋戴礼帽——土洋结合
穿绸缎吃粗糠——外光里不光
穿钉鞋走钢板——走一路响一路
穿钉鞋走泥路——步步有点
穿冬衣戴夏帽——不知春秋
穿节的竹竿——灵通起来了
穿紧身马褂长大的——贴心
穿凉鞋戴棉帽——顾头不顾脚

穿没底鞋——脚踏实地
穿木屐过摩天岭——走险
穿皮袄吃醪糟——周身火热
穿皮袄光脚丫——凉了半截
穿皮袜子戴皮手套——毛手毛脚
穿山甲扒窝——越掏越空
穿湿棉袄背秤砣——一身沉重
穿蓑衣救火——自找麻烦
穿袜子没底——装面子
穿孝衣道喜——瞎胡闹
穿鞋卧别人床——恶相
穿新鞋走老路——因循守旧
穿新衣逛新城——样样新鲜
穿心的烂冬瓜——坏透了
穿衣镜前作揖——自己恭维自己
穿衣镜照人——原原本本
穿着孝服拜天地——又喜又悲
船帮做棺材——漂流了半辈子才成(盛)人
船舱里生小鸡——漂浮(孵)
船到码头车到站——停止不前
船到竹篙撑——随机应变
船老大敬神——为何(河)
船上打伞——没天没地
船上迈步——越走越窄
船上失火——有底
船头上撒网——纲举目张
疮口上贴膏药——揭不得
窗户棂上泼水——失(湿)格了
窗户眼吹喇叭——名(鸣)声在外
窗户纸糊隔墙——一点通

窗口插桂花——里外香
窗纱做衣裳——浑身是窟窿
窗外有窗——多余的框框
窗子小跳不进去——格格不入
床单做洗脸巾——大方
床单做鞋垫——大材小用
床底下吹号——低声下气
床底下的夜壶——难登大雅之堂
床底下点蚊香——没下文(蚊)
床底下堆宝塔——高也有限
床底下放风筝——飞不高
床底下鞠躬——抬不起头来
床底下晒谷子——阴干
床底下支张弓——暗箭伤人
床上的花枕头——置之脑后
床上铺黄连——困苦
床上失火——烧着屁股燎着心
床头上拾元宝——自欺欺人;自骗自;自己哄自己
吹灯拔蜡踩锅台——一切都完了
吹灯打呵欠——暗中出气
吹灯打哈哈——暗中作乐
吹灯裹脚——瞎缠
吹灯讲故事——瞎说
吹灯念鼓词——瞎叨叨
吹灯捉虱子——瞎摸
吹灯作揖——没人领情
吹笛的会摸眼,打牌的会摸点——各有本领
吹风机出故障——坏了风气
吹鼓手办喜事——自吹
吹鼓手的肚子——气鼓气胀

吹鼓手赴宴——吃的胀气饭
吹鼓手喝彩——自吹自擂
吹鼓手仰脖——起高调
吹火筒不通——赌(堵)气
吹火筒打鸟——不是真腔(枪)
吹火筒当望远镜——眼光狭窄
吹火筒子——两头受气
吹喇叭响爆竹——有鸣有放
吹了气的死猪——胀起来了
吹灭灯挤眼——看不见的勾当
吹牛皮赚钱——无本生意
吹糖人的出身——好大的口气
吹糖人的改行——不想做人
吹皱一池春水——多管闲事
锤子炒菜——砸锅
锤子敲钉子——入木三分
春蚕吐丝——自缠身
春草闹堂——急中生智
春笋破土——天天向上
春天的柳树枝——落地生根
春天的萝卜——心虚
春天的毛毛雨——贵如油
春天的蜜蜂——闲不住
春天的杨柳——分外亲(青)
春夏秋冬——年年有
春讯的鱼虾——随大流
戳翻了的蚂蚁窝——全暴露了
戳破了的灯泡——冒火
磁石遇铁砣——不谋而合
慈禧太后听政——独断专行

瓷公鸡，玻璃猫——一毛不拔
瓷盘里的珍珠——明摆着
瓷器店里的老鼠——碰不得，打不得
此地无银三百两——不打自招
荆棘林里放风筝——胡缠
荆棘林中的苦蒿——没人睬（采）
刺拐棒弹棉花——越整越乱
刺槐做棒槌——扎手
刺壳里挖栗子——棘手
刺猬的脑袋——不是好剃的头
刺猬皮包钢针——里外扎手
刺猬在巴掌上打滚——棘手
刺猬钻进蒺藜窝——针锋相对
刺猬钻进丝线铺——纠缠不清
刺窝里摘花——无法下手
葱叶炒藕——空对空
从狗洞里爬出来的新郎——不走正道
从河南到湖南——难（南）上加难（南）
从火坑里爬出来的好汉——死里求生
从门缝里看人——把人看扁了
从墓坑里爬出来的——死里求生
从石头里挤水——办不到
从污水缸跳到粪池里——越搞越臭
从盐店里闹出来的伙计——闲（咸）得发慌
粗麻绳纫针——难上加难
粗石头性子——一碰就发火
粗纹路的布——经纬分明
醋厂里冒烟——酸气冲天
醋熘猪苦胆——又苦又酸
醋泡的蘑菇——坏不了

醋泡辣椒——又酸又辣

醋坛里泡枣核——尖酸

醋坛子打酒——满不在乎(壶)

醋坛子里泡胡椒——尝尽辛酸

淬过火的钢条——宁折不弯

脆瓜打驴——去一半

矬子嫁个细高挑儿——取长补短

矬子打呵欠——气儿不长

矬子看戏——听声

矬子里拔将军——短中取长

矬子爬墙头——想出人头地

矬子爬泰山——步步登高

矬子婆娘——见识低

矬子坐高凳——够不着

错把驼峰当背肿——大惊小怪

错公穿了错婆鞋——错上加错

D

搭房子封屋顶——铺天盖地

搭客骡子——上不了阵势

搭棚子卖绣花针——买卖不大,架子不小

搭人梯过城墙——踩着别人的肩膀往上爬

搭梯子上天——走投无路

褡裢背水——凉透心

妲己的子孙赴宴——露了尾巴

打靶眯眼睛——睁只眼,闭只眼

打靶中靶心——不偏不向

打饱嗝带放屁——两头没好气

打抱不平的说理——仗义执言

打不完的官司,扯不完的皮——一言难尽

打不着狐狸弄身臊——自背臭名
打柴人回山庄——两头担心(薪)
打赤脚下田——靠脚力
打出来的口供——假的
打出枪膛的子弹——有去无回
打春的萝卜,立秋的瓜——变味了
打醋的进当铺——走错了门
打灯笼串亲戚——明来明去
打灯笼赶嫁妆——两头忙
打灯笼做事——照办
打电话作手势——看不见
打掉牙往肚里吞——忍气吞声
打断的胳膊——往里拐
打断脊梁骨的癞皮狗——腰杆子不硬
打发闺女娶媳妇——两头忙
打翻了测字摊——不识相
打翻了醋瓶子——酸气十足
打翻了蜜罐子——甜滋滋的
打翻了五味瓶——苦辣酸甜咸样样全
打个喷嚏吓死猫——赶巧了
打狗不赢咬鸡——欺小怯大
打狗看主人——势利眼
打鼓不打面——旁敲侧击
打官司的上堂——各执一词
打呼噜听见放炮——吓人一跳
打火不吸烟——闷(焖)起来了
打架揪胡子——谦虚(牵须)
打架脱衣服——赤膊上阵
打开棺材喊捉贼——冤枉死人
打开棺材治好病——起死回生

打开笼子放了雀——各奔前程
打开蜜罐又撒糖——甜上加甜
打瞌睡的捡了个枕头——称心如意
打烂的暖水瓶——丧胆
打烂罐子作瓦片——不上算
打烂灶头——没处主（煮）
打烂门牙咽肚里——干吃哑巴亏
打了乒乓玩排球——推来推去
打了盘子对碗沿——不对碴
打了兔子喂鹰——好处给了恶人
打猎的不说鱼网，卖驴的不说牛羊——三句话不离本行
打猎放羊——各干一行
打猎捡柴火——捎带活
打猎人瞄准——睁只眼，闭只眼
打猎忘了带猎枪——丢三拉四
打马骡子惊——惩一儆百
打麦场上撒网——空扑一场
打猫吓唬狗——虚张声势
打鸟瞄得准——一目了然
打屁用手捉——自讨麻烦
打破的镜子——难重圆
打破脑袋用扇扇——无济于事
打破砂锅问（纹）到底——追根到底
打破嘴巴骂大街——血口喷人
打起脸来演戏——粉墨登场
打枪不瞄准——无的放矢
打入十八层地狱——不见天日
打伞披雨衣——多此一举
打死男人，吓唬公婆——泼妇
打扇抽烟——扇风点火

打蛇不死打蚯蚓——欺小怯大
打蛇打到七寸上——击中要害
打蛇随棍上——因势乘便
打手击掌——一言为定
打手赛拳——各有一套
打水摇辘轳——抓住把柄了
打死扣的绳结——越拉越紧
打死蚂蚁踩一脚——做得出奇
打疼了疯狗——反咬一口
打铁不看火色——傻干
打铁不用锤——硬充能耐
打铁的榔头不乱敲——丁(钉)是丁(钉),卯(铆)是卯(铆)
打铁的分家——另起炉灶
打兔子捉到黄羊——捞外快
打蚊子喂象——不顶用
打响雷不下雨——虚惊一场
打一巴掌揉三揉——虚情假意
打一拳头给个甜豆包——堵人家的嘴
打油的漏斗——没底儿
打油钱不买醋——专款专用
打鱼的烂网——千孔百疮
打鱼人回家——不在乎(湖)
打枣捎带沾知了——一举两得
打胀的皮球——一肚子气
打着灯笼拉呱——明说
打着灯笼没处找——难得
打着灯笼偷驴——明人不做暗事
打着公鸡生蛋——强人所难
打着兔子跑了马——得不偿失
打针吃黄连——痛苦

打着野猪去献佛——何乐而不为

打着手电走夜路——前途光明

打肿脸充胖子——死要面子活受罪

打准腰部才罢休——正中下怀

大白天出星星——太离奇

大白天的猫头鹰——睁眼瞎

大白天打更——乱了时辰

大白天遇见阎王爷——活见鬼

大鼻子的爸爸——老鼻子啦

大便带出个擀面杖——恶(屙)棍

大便带出个泥菩萨——恶(屙)鬼

大伯背兄弟媳妇过河——费力不讨好

大伯墓前哭爹——上错了坟

大草原上吹喇叭——想(响)得宽

大车后头套马——弄颠倒了

大车拉煎饼——贪(摊)得多

大船开到小河沟——搁浅

大船离港——外行(航)

大船载太阳——勉强度(渡)日

大葱装蒜——不露头

大刀宰小鸡——小题大作

大道边的驴——谁爱骑谁骑

大道边上贴布告——路人皆知

大吊车吊灯草——不值一提

大吊车吊蚂蚁——轻而易举

大吊车吊小平板——稳拿

大豆榨油——上挤下压

大肚罗汉吹喇叭——一团和气

大肚罗汉戏观音——眼只眼，闭只眼

大肚罗汉写文章——肚里有货

大肚子不生孩子——枉担虚名
大肚子踩钢丝——铤(挺)而走险
大粪车出村——装死(屎)
大粪烧臭蒿——臭上加臭
大粪勺子舀汤——使(屎)不得
大风吹倒帅字旗——出师不利
大风吹倒玉瓶梅——落花流水
大风地里吹牛角——两头受气
大风地里点油灯——吹了
大风天吃炒面——难开口
大风天过独木桥——难通过;通不过
大风天卖炒面——一吹就了
大风掀走窝棚顶——一下子全亮了底
大佛殿的菩萨——一肚子泥
大缸里放针——粗中有细
大缸里摸鱼——跑不了
大哥不说二哥——大家差不多
大胳膊过膝——手长
大个子盖小人被——顾头不顾脚
大个子站在矮檐下——抬不起头来
大姑娘拜天地——头一回;头一遭
大姑娘抱孩子——人家的
大姑娘不要婆家——假的
大姑娘裁尿布——早作准备
大姑娘出嫁——又喜又怕
大姑娘穿花鞋——走着瞧
大姑娘当媒人——先人后己
大姑娘的脊梁——女流之辈(背)
大姑娘的脸蛋——摸不得
大姑娘的心事——摸不透

大姑娘怀孩子——满腹心思说不出

大姑娘嫁太监——享福没有受苦多

大姑娘上轿——头一回

大姑娘生的——见不得人

大姑娘讨饭——死心眼

大姑娘下饭馆——人财两空

大姑娘想婆家——口难开

大姑娘掌钥匙——当家不做主

大姑娘坐花轿——迟早有一次

大姑娘做嫁衣——闲时预备忙时用

大牯牛落井里——有劲使不上

大观园里的闺秀——四体不勤，五谷不分

大观园里哭贾母——各有各的伤心处

大闺女的辫子——置之脑后

大闺女买假发——随便（辫）

大闺女盼郎——朝思暮想

大闺女退婚礼——不谈了

大海大洋里的小舟——不着边际

大海里捕鱼，深山里打猎——各吃一方

大海里的浮萍——没着落

大海里的水——到哪里哪里嫌（咸）

大海里的水雷——一触即发

大海里的小船——风雨飘摇

大海里的鱼——经过风浪

大海里吐唾沫——不显眼

大海里下竿子——不知深浅

大海里寻针——捞不着

大海里捉鳖——不好捉摸

大河漂油花——一星半点

大胡子吃糖稀——撕扯不清

大胡子喝面汤——越吃越糊涂
大花脸的胡子——假的
大槐树下挂灯笼——四方有名(明)
大火烧到额头上——迫在眉睫
大家闺秀不出门——没见过大场面
大家看电影——有目共睹
大江里一泡尿——有你不多,无你不少
大街得信小街传——道听途说
大街上拎杂碎——提心吊胆
大街上卖笛子——自吹
大街上生私孩子——当众出丑
大懒使小懒——懒对懒
大榔头砸豆腐——笃定
大老粗看佛经——茫然不懂
大老虎骑小老虎——马马虎虎
大老爷坐堂——吆五喝六
大理石压咸菜缸——大材小用
大理石做门匾——牌子硬
大力士耍扁担——轻而易举
大力士绣花——力不从心
大龙不吃小干鱼——看不上眼
大路边上裁衣服——有的说短,有的说长
大麻疯破皮——没法治
大麻疯向着癞子哭——彼此彼此
大麻喂牲口——不是好料
大马拉小车——有力无处使
大麦糊煮玉米糊——糊糊涂涂
大麦芽做饴糖——好料子
大蟒吃猪娃——生吞活剥
大门板做棺材——屈材

大门口的春联——年年有
大门口吊马桶——臭名在外
大门口挂灯笼——一对儿
大门口挂红灯——美名(明)在外
大门楼里放马桶——里外臭
大门上挂扫把——臊(扫)脸
大眠起来的春蚕——满肚子私(丝)
大拇指搔痒——随上随下
大拇指掏耳朵——难进
大年初一吃饺子——年年都一样
大年初一翻皇历——头一回;头一遭
大年初一看历书——日子长哩
大年初一生娃娃——双喜临门
大年初一做花圈——没心思玩乐
大年初一做月子——赶在节上
大年三十的案板——家家忙
大年三十的烟火——万紫千红
大年三十看皇历——没日子啦
大年三十晚上熬稀粥——年关难过
大年三十喂年猪——来不及
大年夜的蒸笼——热门货
大年夜卖年画——不懂买卖经
大胖子跳井——不深入
大胖子推磨——杜撰(肚转)
大炮打麻雀——小题大作
大炮打群狼——一哄(轰)而散
大炮轰苍蝇——大材小用
大笸箩扣王八——跑不了
大热天送火炉——不时识务
大人不记小人过——宽宏大量

大鲨鱼不吃小虾——看不上眼
大衫布做坎肩——亏了材料
大师傅的肚子——油水多
大师傅下伙房——来了内行
大石板上青苔毛——长不了
大树底下晒太阳——阴阳不分
大树上吊个口袋——装疯(风)
大水冲了龙王庙——自家人不识自家人
大水冲了菩萨——绝妙(庙)
大蒜调冻豆腐——难办(拌)
大厅中央挂字画——堂堂正正
大头娃娃跳舞——改头换面
大头针包饺子——露馅
大腿上把脉——不对路数
大腿上画老虎——吓唬老百姓
大腿上贴门神——走了神
大腿上贴告示——走到哪宣传到哪
大雾里看天——迷迷糊糊
大雾天看山峰——渺茫
大虾掉进油锅里——闹个大红脸
大下巴吃西瓜——滴水不漏
大象吃豆芽——不够塞牙缝
大象吃蚊子——无从下口
大象的鼻子——能曲能伸
大象呼吸——双管齐下
大象抓凤凰——眼高手低
大象嘴里拔牙——胆子不小
大雪落在大海里——看得见,摸不着
大烟鬼拉车——有气无力
大眼筛子里捉黄鳝——跑的跑,溜的溜

大洋马生骡子——杂种
大爷和太爷——只差一点;差一点
大鱼吃小鱼,小鱼吃虾米——弱肉强食
大鱼吃小鱼,小鱼吃虾米,虾米吃青泥——一物降一物
大雨天上房——找漏洞
大轴里套小轴——话(画)里有话(画)
大字丢了横——冒充人;装人样
大嘴乌鸦吃食——一副贪相
呆女嫁痴汉——谁也不嫌谁
呆子看戏——光图热闹
呆子看烟火——傻了眼
呆子求情——有理说不清
呆子娶个秃老婆——两将就;两凑合
逮了兔子死了鹰——得不偿失
代别人写情书——不是真心
带刺的藤子——碰不得;摸不得
带刺的铁丝——难缠
带了秤杆忘了砣——丢三拉四
带拖斗的卡车——拖拖拉拉
带着秤杆买小菜——斤斤计较
带着花岗岩脑袋见上帝——死不改悔
带着尿盆坐大堂——赃(脏)官
带着碗赶现成饭——白吃
带着自行车乘汽车——多余
戴斗笠打伞——双保险
戴钢盔登脚手架——硬着头皮上
戴红缨帽上树——红到顶了
戴礼帽的偷书——明白人办糊涂事
戴了笆斗进庙门——想充大头鬼
戴墨镜上煤堆——一团漆黑

戴有色眼镜看人——有失本色

戴上笼头的小毛炉——听人使唤

戴孝帽进灵棚——随大流

戴着草帽打雨伞——多此一举

戴着帽子找帽子——糊涂到顶了

戴着面罩做人——其貌不扬

戴着墨镜倒骑驴——尽走黑道

戴着孝帽去道喜——自讨没趣

戴着眼镜挑媳妇——看花了眼

担百斤行百里——任重道远

担雪填深井——误人不浅

担着苦瓜喊甜瓜——嘴甜心苦

担着石磨赶庙会——负担太重

单根青丝拴磨盘——千钧一发

单箭射双雕——一举两得

单身汉碰到和尚——全是光棍

单身汉跑江湖——无牵无挂

单身汉娶媳妇——自作主张

单眼看布告——睁只眼,闭只眼

单眼看花——一目了然

单眼挑媳妇——一眼看中

掸子没毛——光棍一条

胆小鬼坐飞机——抖起来了

胆汁拌黄连——苦上加苦

胆汁滴在眉毛上——眼前苦

担子两头挂红灯——挑明

弹弓打飞机——差得远

当婊子树牌坊——不知羞耻

当风扬灰——一吹就散

当官不坐高板凳——平起平坐

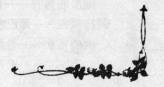

当和尚不撞钟——白吃

当红娘还包生孩子——负责到底

当了皇帝想成仙——贪得无厌

当面锣，对面鼓——明打明敲

当面是人，背后是鬼——伪君子

当面诵善佛，背后念死咒——阳奉阴违

当天和尚撞天钟——得过且过

当夜捉贼当夜送衙——事不过夜

当着矬子说短话——成心叫人难堪；揭人短

当着老丈人唱淫曲——有眼不识泰山

当着阎王告判官——没有好下场

当了衣裳买粉搽——穷讲究；穷打扮

当铺里卖孩子——贱人

刀尖上翻跟头——不怕死

刀尖上过日子——危在旦夕

刀尖上跳舞——凶多吉少

刀剜黄连木——刻苦

刀子插进胸口——伤透心肝

刀子插在鞘里——锋芒不露

刀子嘴，豆腐心——嘴硬心软

导火线上拴炸药——一触即发

倒了庙宇压碎神像——失灵

倒了油瓶不扶——袖手旁观

倒闲话，落不是——全坏在嘴上

倒爷发家——不义之财

倒背手放风筝——扯远了

倒背手看鸡窝——不简单(拣蛋)

倒吊的烤鸭——嘴油

倒挂狐狸——尾巴翘不起来

倒骑毛驴——往后瞧

倒长的山藤——根子在上头

道士打醮——鬼使神差

道士的辫子——挽得紧

道士掉了令牌——无法

道士进庙——走错了门

道士念经——照本宣科

道士跳法场——装神弄鬼

道士舞大钳——少见(剑)

道士遭雷打——作法自毙

盗马贼挂佛珠——假装正经

盗马贼披袈裟——嫁祸于人

盗墓贼作案——捣鬼

稻草肚子棉花心——虚透了

稻草秆打人——软弱无力

稻草灰——随人捏

稻草人跌跤——腰杆子不硬

稻草人放火——害人先害己

稻草人过河——不成(沉)

稻草人救火——引火烧身

稻草弹被絮——不是正胎子

稻田里的稗子——你算哪棵苗

稻田里盖猪圈——肥水不落外人田

稻田里拉犁耙——拖泥带水

得到屋子想上炕——贪得无厌;贪心不足

得了狂犬病的恶狗——正在风(疯)头上

得了五谷想六谷,有了肉吃嫌豆腐——欲无止境

得牛还马——礼尚往来

得鱼丢钩——忘恩负义

登上山望平地——回头见高低

登上泰山望东海——站得高,看得远

登上泰山想升天——好高骛远
登太行望运河——远水不解近渴
登着软梯子上飞机——扶摇直上
登着梯子说话——高攀
灯草撑屋梁——做不了主(柱)
灯草搓绳绑野马——白费功夫
灯草搓绳,烂板搭桥——枉费心机
灯草打老牛——无关痛痒
灯草当秤砣——没分量
灯草吊颈——假做作
灯草剖肚——开心
灯草铺失火——没有救
灯草烧灰——飘飘然
灯草作琴弦——一谈(弹)就崩
灯蛾扑火——自焚
灯里缺油——干熬
灯笼壳子——肚里空
灯谜晚会——耐人寻味
灯下点烛——白费蜡
灯盏添油——不变心
等公鸡下蛋——没指望
等天上掉馅饼——坐享其成
瞪着眼吹死猪——长吁短叹
低头狗——暗下口
低头老婆仰头汉——最难斗
滴水穿石——非一日之功
敌敌畏拌大蒜——又毒又辣
笛子吹火——到处泄气
弟兄俩骂娘——自骂自
地府里打官司——死对头

地府里打冤家——鬼打鬼

地窖里聊天——说黑话

地上的野草——除不尽

地上栽电杆——正直

地毯上寻针——吹毛求疵(刺)

地头蛇,母老虎——不是好惹的

地下摆摊——不摆架子

掂着点心上树——言之(沿枝)有理(礼)

掂着算盘上门——找人算帐

掂着猪下水过独木桥——提心吊胆

点火就想开锅——性太急

点火烧眉毛——自找罪受

点了黄豆不出苗——孬种;不是好种

踮着脚尖立正——不久长;难长久

靛缸里洗澡——一身轻(青)

靛蓝染白布——一物降一物

电灯点火——其实不然(燃)

电灯炮——不通气

电灯泡上蹭痒痒——摩登(磨灯)

电灯泡上点香烟——其实不然(燃)

电灯照墙角——名(明)角

电风扇的脑袋——专吹冷风

电焊的火花——看不得

电话断了线——说不通

电话局的话务员——耳听八方

电锯开木头——当机立断

电扇上伸双手——吹捧

电梯失灵——上下两难

电线杆穿大褂——细高挑儿

电线杆上绑鸡毛——胆(掸)子不小

电线杆上吊暖壶——高水平(瓶)
电线杆上耍杂技——艺高胆大
电线杆子剔牙——大老粗
电影里的夫妻——假的
电影里放电视——戏中有戏
雕花的扁担——中看不中用
雕花师傅戴眼镜——精雕细刻
叼着喇叭敲鼓——自吹自擂
叼着鲜花放屁——美不遮丑
貂蝉嫁吕布——英雄难过美人关
貂皮下面安狗尾——不相称
吊脖鬼脱裤子——又不要脸,又不要命
吊起锅儿当钟打——穷得叮当响
吊扇下面拉家常——讲风凉话
吊死鬼搽粉——死要面子;死要脸
吊死鬼打飞脚——不上不下
吊死鬼打花脸——色鬼
吊死鬼抛媚眼——死不要脸
吊死鬼当婊子——死不要脸
吊死鬼瞪眼——死不瞑目
吊死鬼流眼泪——死得屈
吊死鬼讨帐——活该
吊死鬼照镜子——自己吓唬自己
吊着头发打秋千——不要命
掉进陷阱里的狗熊——熊到底了
掉了耳朵的瓦罐——提不起来
掉了帽子喊鞋——头上一句,脚下一句
掉门牙肚里咽——有苦说不出
掉下井的秤砣——扶(浮)不上来
掉在油缸里的老鼠——滑头滑脑

跌翻鸟窝砸碎蛋——倾家荡产
跌跟头拣金条——运气好
跌进糨糊盆里的娃娃——糊涂人
爹死娘嫁人——各人顾各人
碟子里盛清水——一眼看到底
碟子里的开水——三分钟的热劲
碟子里生豆芽——扎不下根
碟子里洗澡——不知深浅
碟子里栽牡丹——根底浅
钉耙戴斗笠——尖上拔尖
钉是钉，铆是铆——不含糊
钉子烂了顶——抠不出来
钉子锈在木头里——铁定了
顶风顶浪上水船——力争上游
顶风放屁——自己搞臭自己
顶风拉屎，顺风打旗——两边倒
顶礼膜拜的小人——一副奴才相
顶磨盘踩高跷——难上加难
顶着笸箩望天——视而不见
顶着娃娃骑驴——多此一举
定航的班机——继往开来
腚上吊痰盂——等死(屎)
钉钉子捶了手——敲不到点子上
钉锅碗打坏金刚钻——蚀本生意
钉掌的敲耳朵——离题(蹄)太远
丢掉了邮包——失信于人
丢金碗拣木勺——得不偿失
丢了铁锤拣灯草——拈轻怕重
丢了西瓜拣芝麻——得不偿失
丢了一只羊，捡到一头牛——吃小亏占大便宜

丢了媳妇又赔房——人财两空

丢下黄羊打蚊子——不知哪大哪小

丢下犁耙拿扫帚——里里外外一把手

丢下灶王拜山神——舍近求远

冬瓜熬清汤——乏味

冬瓜皮做帽子——滑头滑脑

冬瓜钱算在葫芦上——混帐

冬瓜藤缠到茄子地——拉拉扯扯

冬瓜下山——滚了

冬天不戴帽子——动(冻)脑筋

冬天吃葡萄——寒酸

冬天穿汗衫——冷暖自己知

冬天的癞蛤蟆——装死

冬天的芦苇——心不死

冬天的蚂蚁——不露头

冬天的扇子——没用处

冬天的扇子,夏天的火炉——没人要,没人爱

冬天的知了——一言不发

冬天的竹笋——出不了头

冬天喝凉水——寒心

冬天吞沙子——寒碜

冬天坐长椅——坐冷板凳

冬至已过——来日方长

东北的二人转——一唱一和

东边日出西边雨——道是无情(晴)却有情(晴)

东边下雨西边晴——各有天地

东耳朵进,西耳朵出——耳旁风

东方打雷西方雨——声东击西

东方欲晓——渐渐明白

东郭先生救狼——好心不得好报

东家瓜，西家枣——没话找话

东家起火，西家冒烟——一波未平，一波又起

东篱补西壁——顾此失彼

东山跑过驴，西山打过虎——见过点阵势

东施效颦——丑上加丑

东手接西手去——不聚财

东头拜堂，西头出丧——演对台戏

东吴杀人——嫁祸于人

东西耳朵南北听——横竖听不进

东西路南北拐——走邪(斜)道

东岳庙的二胡——鬼扯

东岳庙的小鬼——光瞪眼，不开腔

东岳庙走到城隍庙——横竖都撞鬼；处处有鬼

洞宾戏牡丹——两厢情愿

洞房花烛——一条心

洞庭湖里的麻雀——见过风浪

洞庭湖里的野鸭——无人管

冻豆腐——难办(拌)

冻僵的蛇——不死不活

动物园里的长颈鹿——身高气傲

动物园里的老虎——吃不了人

兜里的钱，锅里的肉——跑不了

斗大的馒头——无处下口

斗大的线团子——难缠

斗大的字不识半口袋——睁眼瞎

斗笠出烟——冒(帽)火

斗笠穿孔——出头之日到了

斗笠掉在水里——冒失(帽湿)

豆饼干部——上挤下压

豆豉口袋——臭货

豆腐炒韭菜——一清(青)二白

豆腐打鞋掌——不是这块料

豆腐垫床脚——白挨

豆腐店的买卖——软货

豆腐掉灰堆——吹也吹不得,拍也拍不得

豆腐堆里一块铁——软中有硬

豆腐耳朵——爱听谗言

豆腐坊的石磨——道道多

豆腐里捡骨头——故意挑剔

豆腐脑儿挑子——两头热

豆腐烧猪蹄——软硬不均

豆腐身子——经不起摔打

豆腐渣包饺子——捏不拢

豆腐渣擦屁股——没完没了

豆腐渣炒藕片——迷(弥)了眼

豆腐渣炒樱桃——有红有白

豆腐渣糊门——不沾(粘)板

豆腐渣上坟——哄死人

豆腐渣装皮箱——冒充好货

豆腐嘴刀子心——嘴软心狠

豆腐做匕首——软刀子

豆芽拌粉条——内外勾结

豆芽包饺子——内中有弯

豆芽不叫豆芽——窝脖货

豆芽炒虾米——两不值(直)

豆芽的一生——总受压

豆芽做拐仗——嫩得很

逗猫惹狗——无事生非

窦娥的冤魂——不散

斗败的公鸡——垂头丧气

斗鸡上阵——横眉竖眼
斗赢了的公鸡——神气活现
读书人当兵——文武双全
犊子口里含嚼子——牛头不对马嘴
独膀子打拳——露一手
独臂将军——一把手
独臂包饺子——一手包办
独根灯草点灯——只有一个心眼
独脚凳——站不住
独脚蟹——爬不快
独木桥落霜——难过
独木桥上扛木头——难回头
独木桥上散步——走险
独木桥上遇仇人——冤家路窄
独眼看戏——一目了然
独眼龙赶考——一言(眼)难尽(进)
独眼骡子换瞎马——越来越糟
毒蛇出洞——伺机伤人
毒蛇见硫磺——浑身酥软
毒蛇爬竹竿——又狡(绞)又猾(滑)
毒蛇脱皮——恶习不改
毒蛇吐信子——出口伤人
毒蛇牙齿马蜂针——毒极了;最毒
毒蛇钻进竹筒里——假装正直
毒蛇做梦吞大象——野心勃勃
毒蜘蛛织网——碰不得
堵塞的烟囱——憋气又窝火
赌徒的嘴巴——尽说到点子上
赌徒手中的钱——留不住
杜十娘的百宝箱——全部家当在里头

杜十娘怒沉百宝箱——人财两空
肚里藏镰刀——割心肠
肚里吃了鞋帮——心里有底
肚里喝了二斤老陈醋——酸气冲天
肚里开飞机——内行(航)
肚里容不得一根毛——心胸太小
肚里长瘤子——心腹之患
肚里长牙齿——心里狠
肚里装公章——心心相印
肚里钻进二十五只小耗子——百爪挠心
肚皮里安电灯——心里亮;肚里明
肚皮贴在脊梁上——饿极了
肚脐眼安雷管——心惊肉跳
肚脐眼插钥匙——开心
肚脐眼儿放屁——妖(腰)气
肚脐眼里藏书——满腹经文
肚脐眼里灌汤药——心服口不服
肚脐眼里说话——妖(腰)言;谣(腰)言
肚脐眼长竹笋——胸有成竹
肚痛埋怨帽子单——错怪
肚子饿了喝西北风——过一天算一天
肚子饿了填黄连——自讨苦吃
肚子里板油太多了——蒙了心窍
肚子里磨刀——秀(锈)气在内
肚子里敲小鼓——心里扑腾
肚子里吞擀面杖——直肠直肚
渡江烧船——断人后路
镀金的佛像——华而不实
端别人的碗——服别人管
端金碗讨饭——装穷

端午节拜年——不是时候

端午节包粽子——有棱有角

端午节的蛤蟆——躲过初一,躲不过十五

短的当棒槌,长的做房梁——各有一技之长

缎子被面麻布里——表里不一

断柄锄头——没有把握

断柄锄头安了把——有把柄可抓

断了翅膀的鸟——飞不高

断了翅膀的野鸡——飞不了

断了发条的钟——不走了

断了脊梁骨的癞皮狗——没有骨气

断了筋的胳膊——手软

断了捻子的炮仗——不想(响)

断了腿的蛤蟆——跳不了多高

断了线的珠子——提不起来;别提了

断气前嚎叫——垂死挣扎

断头苍蝇——乱闯乱碰

断尾巴蜻蜓——有头无尾

对镜子打躬——自己恭维自己

对空撒灰——害人先害己

对空射击——热火朝天

对聋子说话——白张嘴

对牛弹琴——白费功夫

对天吹喇叭——想(响)得高

对天讲话——不知高低

对天鸣枪——吓唬人

对哑巴说话——白费口舌

对着靶子射箭——有的放矢

对着穿衣镜调情——自爱

对着棺材唱大戏——死不听

对着棺材撒谎——哄鬼；骗鬼；哄死人

对着罐子吹喇叭——有原因（圆音）

对着锅底亲嘴——碰一鼻子灰

对着镜子扮鬼脸——丑化自己

对着镜子练拳——自家人打自家人

对着镜子骂人——自己跟自己过不去

对着镜子说话——自言自语

对着镜子说漂亮——自夸

对着聋子打鼓——充耳不闻

对着牛嘴打喷嚏——吹牛

对着桑树骂槐树——指桑骂槐

对着王八批乌龟——正对号

对着瞎子抛媚眼——白费功夫

对着砚台梳头——没影的事

对着影子打招呼——看错了人

对着张飞骂刘备——寻着惹气

对着赵云摔阿斗——收买人心

礅子碰碌碡——实（石）打实（石）

蹲在厕所写八股文——臭秀才

蹲在茅坑问香臭——明知故问

蹲在皮球里过日子——受尽窝囊气

钝刀子割草——拉倒

钝刀子割肉——不利索

钝刀子切豆腐——拣软的欺

钝刀子切藕——藕断丝连

囤顶插旗杆——尖上拔尖

多臂观音——到处伸手

多吃了咸盐——爱管闲（咸）事

多年的陈帐——翻不得

多年的寡妇——老手（守）

多年的泡桐树——空心货

躲鬼跑进地府——出生入死

躲过棒槌挨榔头——祸不单行

躲雨躲到城隍庙——尽见鬼

躲在暖房的小偷——不寒而栗

剁不烂的牛肉调馅子——难办(拌)

E

屙屎撞狗口——凑巧了

屙屎打喷嚏——两头使劲

屙屎带撒尿——两便

屙屎放屁——有虚有实

屙屎嗑瓜子——不对味

屙屎攥拳头——劲用得不是地方

峨眉山的猴子——机灵得很

鹅吃草,鸭吃谷——各人享各人福

鹅卵石放鸡窝——混蛋

鹅吞鸡头——卡壳了

鹅行鸭步——大摇大摆

鹅咬鸡——六亲不认

额头连下巴——没脸

额头上插牡丹——忍痛图好看

额头上放炮——祸在眼前

额头上挂钥匙——开眼界

额头上抹肥皂——滑头滑脑

额头上长眼睛——眼界高

额头上着火——急在眼前

鳄鱼吊孝——假慈悲,真凶狠

鳄鱼挂念珠——冒充善人

鳄鱼流眼泪——可怜不得

鳄鱼上岸——来者不善
恶狗爬墙——上蹿下跳
恶鬼怕钟馗——邪不压正
恶虎吞狼——弱肉强食
恶狼学狗叫——没怀好意
恶狼装羊——居心不良
恶狼捉老鼠——饥不择食
恶老婆骂街——四邻不安
恶魔对丑怪——一对坏
恶娘们撒泼——耍无赖
恶人先告状——反咬一口
饿肚的鸭子——穷呱呱
饿肚汉开夜车——穷忙
饿狗抢屎——一哄而上
饿狗舔盘子——一干二净
饿狗争食——自相残杀
饿汉抱着胖刺猬——抱着嫌扎手，丢又舍不得
饿狼吞食——一副贪相
饿狼嘴里夺脆骨——胆子不小
饿猫不吃死耗子——冒充斯文
饿猫衔鱼——嘴紧
饿死鬼要帐——活该
饿着肚子造反——借机(饥)闹事
摁着牛头喝水——耍蛮劲
儿媳妇怀孕——装孙子
儿子不养娘——白痛一场
儿子成亲父做寿——好事成双
儿子打老子——岂有此理
儿子给老爹抹胭脂——要老子的好看
耳朵里抹石灰——听不进

耳朵漏风——听不进

耳朵塞驴毛——装聋

耳朵塞棉花——装聋作哑

耳朵上挂小鼓——打听打听

耳朵眼里灌稀饭——混淆视听

耳聋鼻塞嘴哑——一窍不通

二八自行车——架子不小

二百钱开个豆腐店——本钱不大,架子不小

二百五拉二胡——不入调

二百五上天——痴心妄想

二尺长的吹火筒——只有一个心眼

二大娘缠裹脚——严严实实

二大娘的裹脚布——龌龊货

二杆子干活——傻干

二杆子做帐房先生——用人不当

二锅头的瓶子——嘴紧

二胡拉出笛子调——弦外有音

二郎神吹笛子——神吹

二郎神出战——尽是天兵天将

二郎神的钢叉——两面三刀

二郎神的慧眼——有远见

二郎神缝皮袄——神聊(缭)

二愣子报丧——慌里慌张

二两米熬锅粥——不愁(稠)

二两棉花打架——谈(弹)不拢

二两棉花三张弓——细谈(弹)细谈(弹)

二两铁打把刀——不够分量

二两羊毛絮床褥子——难摊

二十一天不出鸡——坏蛋

二十七文钱分三份——久闻(九文)

二四六八十——无独有偶

二下五去一——错打了算盘

二心的夫妻——同床异梦

二一添作五——一半对一半

二月的韭菜——头一茬

二月二穿单衣——为时过早

F

发洪水放木排——赶潮流

发酵池里的高粱——醋性大作

发酵的面粉——气鼓气胀

发救兵还择吉日——晚了;迟了

发霉的花生——不是好人(仁)

发射出去的火箭——扶摇直上

伐木拉大锯——你有来,我有去

法场的麻雀——耐惊耐怕

法场上的刽子手——杀人不眨眼

法官审冤家——公报私仇

法官作案——明知故犯

翻白眼看青天——一无所有

翻穿皮袄——出洋(羊)相

翻穿皮袄过草原——装样(羊)

翻船抓到救生圈——绝处逢生

翻斗车卸货——倒个精光

翻手为云,覆手为雨——出尔反尔

翻着旧历书择吉日——倒退了

樊梨花下西凉——马到成功

凡士林涂嘴巴——油腔滑调

反贴门神——不对脸

反转葫芦,倒转蒲扇——出尔反尔

饭店里卖服装——有吃有穿
饭馆里端菜——和盘托出
饭盒里盛稀饭——装糊涂
饭来张口，衣来伸手——坐享其成
饭勺子上的苍蝇——混饭吃
饭熟揭锅盖——气冲冲
饭锅里蒸黄连——苦闷（焖）
饭桌上的抹布——尝尽了酸甜苦辣
范进中举——喜疯了
方铲挖耳朵——不入门
方底圆盖——合不到一块
方字比万字——只差一点
房顶的窟窿——漏洞
房顶开门——六亲不认
房顶上扒窟窿——不是门
房脊上晒豌豆——两边滚
房脊上捉鸡——不好捉摸
房间里闹鬼——怪物（屋）
房角贴对联——邪（斜）门
房梁改板凳——大材小用
房梁上的家雀——专找缝子钻
房梁上挂水壶——高水平（瓶）
房上喜鹊叫喳喳——好事临头
房檐下的石头——轮（淋）不着
房檐下吊腊肉——挂起来
房子的地基石——翻不了身
房子着了抢东西——趁火打劫
仿造的商标——冒牌货
纺车耳朵——随人转
纺织厂的下脚料——千丝万缕

放鳖进塘喝水——一去不复返

放大镜照臭虫——原(圆)形毕露

放火烧山林——不顾根本

放鸟儿出笼——各奔前程

放炮吓鬼——虚张声势

放炮仗崩瞎眼——自作自受

放屁踩着药捻子——赶到点子上了

放屁唱曲子——臭美

放屁打饱嗝——两头受气

放屁打冷颤——臭哆嗦

放屁打喷嚏——两头没好气

放屁拉抽屉——遮丑

放屁扭着腰——倒霉透了

放屁脱裤子——多此一举

放屁捂屁股——过分小心

放屁咬紧牙——暗里使劲

放屁砸着脚后跟——倒霉透了

放下叉把拿扫帚——两手不闲

放下笛子拿钹——又吹又拍;吹吹拍拍

放下二胡拿笛子——能扯能吹;会吹会扯

放下棍子打乞丐——忘本

放下屠刀,立地成佛——弃恶从善

放鸭子上山——搞错了路线

放羊娃盖楼房——发了洋(羊)财

飞蛾撵蜘蛛——自投罗网

飞蛾扑灯——自取灭亡

飞过的麻雀也要扯根毛——爱占便宜

飞机打哆嗦——抖上天了

飞机打飞机——空对空

飞机打坦克——居高临下

飞机的屁股——尾巴翘上了天
飞机放屁——一溜烟
飞机后面挂口袋——装疯(风)
飞机里伸出个巴掌来——高手
飞机上摆手——高招
飞机上唱大戏——高调
飞机上打凉扇——高风亮节
飞机上的婚礼——空喜
飞机上的客人——高贵
飞机上放风筝——出手高
飞机上放炮仗——天花乱坠
飞机上挂粪桶——臭名远扬
飞机上挂剪刀——高才(裁)
飞机上观天——目空一切
飞机上过秤——高标准
飞机上军号响——声震远方
飞机上开会——高谈阔论
飞机上扭秧歌——载歌载舞
飞机上盘点——算得高
飞机上沏茶——高水平(瓶)
飞机上扔石头——一落千丈
飞机上扔炸弹——抬高自己,打击别人
飞机上跳舞——空喜
飞机上张网——捕风捉影
飞机上作报告——空话连篇
飞机上做梦——天知道;天晓得
飞机钻云彩——腾云驾雾
飞了鸭子打了蛋——两头空
飞鸟看出雌雄来——眼力好
飞行员的降落伞——随机应变

飞行员跳伞——一落千丈

肥皂泡当镜子——成了泡影

肥猪跑进屠户家——送上门的肉

肥猪上屠场——挨刀的货

沸水煮孩子——熟人

坟地里拉弓——色(射)鬼

坟地里冒青烟——阴阳怪气

坟地里卖布——鬼扯

坟地里躺个酒鬼——醉生梦死

坟墓里招手——把人往死路上引

坟前的石碑——记生记死

坟头打拳——吓鬼

坟头儿不叫坟头儿——土包子

坟头上的夜猫子——不是正经鸟

坟头上拉屎——糟蹋死人

坟头上失火——烧包

坟头种牡丹——死风流

粉丝汤里下面条——纠缠不清

粪叉上镶宝石——不值得

粪叉子抓痒——一把硬手

粪车掉轮子——摆臭架子

粪堆上的灵芝——根子不净

粪堆上开花——一阵香，一阵臭

粪缸盖上下棋——臭趣相投

粪缸里泡过的石头——又臭又硬

粪坑翻个儿——亮出臭底子

粪坑里倒马桶——臭味相投

粪坑上拜年——臭奉承

粪筐上插花——臭美

粪筐上的窟窿——死(屎)心眼

粪里的蛆——没骨头
粪勺子搅粪坑——越闹越臭
粪桶里洗萝卜——反惹一身臭
蜂蜜拌黄连——又苦又甜
蜂糖蒸核桃仁——又甜又香
风车过马路——没辙
风车脑袋——随风转
风吹灯草——心不定
风吹葵花——不转向
风吹蜡烛——说灭就灭
风吹马尾——千丝万缕
风吹墙头草——两边倒
风口上点油灯——吹了
风浪里的小舟——左右摇摆
风炉子不进气——缺个心眼
风马牛——各不相干
风前烛，瓦上霜——危在旦夕
风水先生唱大曲——阴阳怪调
风匣板做锅盖——受了冷气受热气
风箱的嘴巴——光会吹
风箱换上鼓风机——一个比一个会吹
风箱里的老鼠——两头受气
风筝脱了线——摇摇欲坠
风钻进鼓里——吹牛皮
疯狗的脾气——见人就咬
疯狗的尾巴——翘不起来
疯狗咬月亮——狂妄(汪)
疯子说梦话——胡言乱语；胡说八道
疯子摇头——呆头呆脑
丰都城里说大书——鬼话连篇

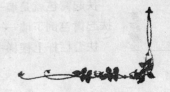

缝纫店里做衣服——量体裁衣
缝衣针对钻头——针锋相对
缝衣针碰着绣花针——一个比一个尖
凤凰跌到鸡窝里——落魄了
凤凰落到鸡窝里——有辱贵体
凤凰脱毛——不如鸡
凤凰麻雀换巢——贵贱颠倒
凤凰身上插鸡毛——多此一举
凤凰头上戴牡丹——美上加美
凤凰下鸡——一代不如一代
凤凰站在凉亭上——卖弄风流
凤有凤巢，鸟有鸟窝——互不相干
佛多香少——供不应求
佛教的章法——清规戒律
佛面刮金子——刻薄
佛爷的眼珠——动不得
夫妻俩唱小调——一唱一和
夫妻俩吵嘴——不记仇
夫妻俩打铁——对手
夫妻俩下饭馆——对吃对喝
夫妻俩种甘蔗——甜蜜的事业
夫妻推磨——尽绕圈子
孵房里剔出来的——坏蛋
浮土窝里的蒺藜——不露头的孬种
浮在面上的水草——无依无靠
伏天的蝈蝈——叫得欢
扶不上树的鸭子——贱骨头
扶起篱笆就是墙——不牢靠
扶起篱笆倒了墙——顾此失彼
扶着栏杆上楼梯——稳步上升

扶着醉汉过破桥——上晃下摇

服装店里的买卖——一套一套的

斧头敲凿子，凿子吃木头——一物降一物

釜底抽薪——奄奄一息（熄）

釜中游鱼——不知死活

腹中容不得一根毛——肚量小

腹中行船——度（肚）量大

富人家的狗——只认衣服不认人

父子猜拳——爷俩好

父子观虎斗——大惊小怪

G

旮旯里藏毒蛇——不露头

胳肢窝里夹耗子——冒充打猎人

胳肢窝生疮——阴毒

嘎小子买烧鸡——闹了个大窝脖

盖了三年的破被——老套子

盖严了的笼屉——有气难出

干柴遇烈火——点火就着

干打雷不下雨——虚张声势

干蛤蜊，死牛筋——煮不烂，嚼不动

干河滩里栽牡丹——好景不长

干皮大葱——心不死

干丝瓜开膛——满肚子私（丝）

干榆木疙瘩——劈不开

干鱼肚里寻胆——少见

肝脏的兄弟——窝囊废（肺）

甘蔗出土——节节甜

甘蔗当吹火筒——一窍不通

甘蔗当烟囱——不通气

甘蔗地里栽葱——矮了一大截
甘蔗地里栽黄连——又苦又甜
甘蔗皮编席子——甜蜜(篾)
甘蔗梢上挂苦胆——一头苦来一头甜
泔水桶里捞食吃——没出息
赶车不拿鞭子——拍马屁
赶会掉了爹——丢大人
赶鸡下河——硬往死里逼
赶集不拿口袋——存心不良(量)
赶脚的骑驴——只图眼前快活
赶龙王下海——巴不得
赶马车的开汽车——不在行
赶马车人的草料袋——草包
赶庙会失孩子——活丢人
赶牛进鸡窝——门路不对
赶乌龟上山——慢慢来
赶鸭子上岸——硬逼
赶鸭子上架——强人所难
赶早市买活鱼——新鲜
赶着牛车出国——相差十万八千里
赶着王母娘娘叫大姑——想沾点仙气
橄榄屁股——坐不稳;坐不住
橄榄头上插针——尖上拔尖
擀面杖插到鸡窝里——捣蛋
擀面杖吹火——一窍不通
擀面杖打飞机——高不可攀
擀面杖当箫吹——一点心眼也没有
擀面杖分长短——大小各有用场
擀面杖灌米汤——滴水不进
擀面杖抹油——光棍一条

擀面杖升云天——诽谤(飞棒)

擀面杖钻石头——纹丝不动

刚备鞍的马驹——挨鞭子的日子到了

刚出笼的糖包子——热乎乎，甜蜜蜜

刚出炉的纯钢——宁折不弯

刚出山的老虎——有点猛劲

刚出山的太阳——红光满面

刚出生的娃娃——没见过世面

刚出土的黄连——苦苗苗

刚过门的媳妇——心里扑腾

刚过门的媳妇见公婆——唯唯诺诺

刚结婚的黄花女——羞羞答答

刚进庙的和尚念佛经——现学现唱

刚开坛的老白干——有股冲劲

刚理发碰上络缌胡——难题(剃)

刚落地的雨水——浑浊不清

刚上蒸笼的馒头——面生

刚掏的茅缸——越搞越臭

刚下轿的媳妇——春风满面

刚坐胎的香瓜——苦透了

钢板上打铆——毫不动摇

钢板上钉钉——硬过硬

钢板上钉铆钉——丁(钉)是丁(钉)，卯(铆)是卯(铆)

钢刀落肚——割心肠

钢刀割乌龟壳——硬砍

钢钎打炮眼——直来直去

钢丝穿豆腐——没法提；提不得；别提了

钢针大头针——各有用处

缸里盛酒——不在乎(壶)

缸里的金鱼——没见过风浪

缸里点灯——照里不照外
缸里端起葫芦瓢——泼冷水
高个子装矮个子——低声下气
高个子走到屋檐下——不得不低头
高飞的鸟儿遇老鹰——凶多吉少
高级合金刀——无坚不摧
高举拳头轻轻放——手下留情
高粱地里种玉米——秋后见高低
高粱秆当顶门杠——经不起推敲
高粱秆当柱子——难顶难撑
高粱秆推磨——玩不转
高粱秆做磨棍——有劲使不上
高粱秆做眼镜——空架子
高粱开花——到顶了
高粱撒在麦子地——杂种
高楼里的电梯——能上能下
高俅当太尉——一步登天
高山顶上搭台子——高高在上
高山砌屋——图风流
高山上的雪莲——一尘不染
高山上挂红灯——有名(明)望
高山头种辣椒——红到顶了
高射炮打麻雀——大材小用
高射炮打坦克——水平太低
高射炮的眼睛——向上看
高射炮手——见机行事
高速公路——畅通无阻
高崖上搭长梯——太悬乎
高音喇叭上山头——远近闻名(鸣)
稿子写到边——不够格

胳膊当枕头——自己靠自己
胳膊弯里打凉扇——两袖清风
胳膊往外拐——吃里爬(扒)外
胳膊窝下过日子——憋气;憋得难受
胳膊折了往袖里藏——家丑不可外扬
胳膊肘朝里拐——好处自己揣
胳膊肘里钉铁掌——离题(蹄)太远
胳膊肘长杈——横生枝节
搁浅的船——进退两难
哥俩并坐——亲密无间
哥俩分家——各人顾各人
哥俩上京城——同奔前程
哥俩进监狱——难兄难弟
哥上关东,弟下西洋——各奔东西
歌手害嗓子——没正音
戈壁滩上的石头——明摆着
戈壁滩上盖大厦——基础差
鸽子带风铃——虚张声势
鸽子光拣高门楼飞——忘本
割草拾柴火——顺便
割韭菜,剥黄麻——一码是一码
割韭菜不用镰刀——胡扯
割麦不用镰——连根拔
割屁股补脸蛋——死要面子活受罪
割下鼻子换面吃——不要脸
隔岸观火——袖手旁观
隔壁美妇人——爱不得
隔长江抛媚眼——无人理会
隔道不下雨,隔村不死人——各有各的情况
隔黄河赶车——鞭长莫及

隔门缝吹喇叭——名(鸣)声在外

隔门缝瞧吕洞宾——小看仙人

隔门缝瞧人——把人看扁了

隔门缝瞧诸葛亮——瞧扁了英雄

隔年的春联——没用处

隔年的鸡蛋——坏蛋

隔年的小树长成材——添枝加叶

隔皮袋买货——识不透

隔墙点灯——谁也不沾谁的光

隔墙果子分外甜——人家的好

隔墙撂帽子——不对头

隔墙扔五脏——死心踏地

隔墙问路——两不见面

隔墙相媳妇——不知好歹

隔山打隧道——里应外合

隔山的石头砸脑袋——飞来的横祸

隔山放羊——不见畜牲面

隔山喊话——遥相呼应

隔山看见蚊虫飞——好眼力

隔山买羊——不知黑白

隔外套搔痒——不过瘾

隔靴搔痒——抓不到实处

隔夜的鱼眼——红得发紫

隔着玻璃窗亲嘴——里应外合

隔着玻璃亲嘴——挨不上

隔着长江握手——办不到

隔着窗户咬耳朵——偏听偏信

隔着井跳河——舍近求远

隔着马夹的外套——不贴心

隔着山头吹喇叭——对不上号

各人自扫门前雪，休管他人瓦上霜——各人顾各人
蛇蚤的脾气——一碰就跳
给大老爷舔痔疮——过分巴结
给狗起个狮子名——有名无实
给好眼睛点药水——没病找病
给老虎治病——提心吊胆
给了九寸想十寸——得寸进尺
给漏底灯盏加油——永不满足
给神主剃头——羞（修）先人
给死猪抓痒痒——蠢人蠢事
给下山虎开路——头号帮凶
跟和尚借梳子——强人所难
跟狐狸结亲——自取其祸
跟鹰飞天，跟虎进山——跟着啥人学啥人
跟着猴子会钻圈——学坏了
跟着脚窝找毛病——俯首皆是
跟着汽车拾粪——白跑
跟着巫婆跳大神——跟着啥人学啥人
跟着巫师做神汉——学坏了
跟诸葛亮学本事——能掐会算
更夫打瞌睡——白吃干饭
耕牛吃庄稼——不分彼此
弓起腰杆子淋大雨——背时（湿）
公公背媳妇——费力不讨好
公公给儿媳妇揩鼻涕——好心成恶意
公公跨进媳妇房——进退两难
公共厕所里埋地雷——激起公愤（粪）
公鸡不下蛋——理所当然
公鸡吃蜈蚣——一物降一物
公鸡打鸣，母鸡下蛋——各尽其责

公鸡戴帽子——官(冠)上加官(冠)
公鸡飞上屋脊——唱高调
公鸡害嗓子——名(鸣)声不好
公鸡难下蛋——肚里没货
公鸡暖蛋儿——守不住窝
公鸡耸冠子——神气十足
公鸡头上插鹅毛——一语(羽)双关(冠)
公鸡下蛋狗长角——怪事一桩
公鸡下蛋猫咬狗——不可思议
公鸡长牙咬狐狸——成精作怪
公鸡钻篱笆——进退两难
公鸡钻灶——官僚(冠燎)
公路道班——各管一段
公说公有理,婆说婆有理——难断是非
公堂里造反——无法无天
公要馄饨婆要面——众口难调
公园里的长颈鹿——就你脖子长
公园里看灯展——走着瞧
狗背上贴膏药——两不沾(粘);毛病
狗不吃屎,狼不吃肉——装假
狗扯羊皮——不害臊;不知臊
狗吃苍蝇——胡嚼
狗吃豆腐脑——闲(衔)不住
狗吃芥末——干瞪眼
狗吃麦麸子——不见面;难见面
狗吃泥娃娃——没有人味
狗吃青草——装样(羊)
狗吃主人心肝——忘恩负义
狗打哈哈——一张臭嘴
狗打石头人咬狗——岂有此理

狗逮老鼠——多管闲事

狗逮老鼠猫看家——反常

狗戴嚼子——胡勒

狗戴礼帽——混充人

狗戴箩筐——藏头露尾

狗等骨头——心里急

狗吠月亮——少见多怪

狗熊跑到戏台上——当面出丑

狗见了主人——摇头摆尾

狗进厨房——嘴上前

狗啃南瓜——无从下口

狗啃象——不自量

狗脸上长毛——翻脸不认人

狗撵兔子——急起直追

狗怕棍子牛怕鞭——一物降一物

狗皮膏药补鱼网——千孔百疮

狗皮糊墙——不像话(画)

狗抢到肉丸子——独吞

狗肉包子——上不了席

狗上锅台——不识抬举

狗屎堆——没人理

狗屎做钢鞭——文(闻)不能文(闻),武(舞)不能武(舞)

狗蹄子打马掌——对不上号

狗舔空砂锅——乏味

狗舔猫鼻子——不存好心

狗舔泥娃娃屁股——溜沟子

狗听人放屁——空喜一场

狗头军师——出不了好主意

狗头上插花——不配

狗头上戴瓦罐——瞎碰

狗头上的毛——长不了

狗头长角——出洋(羊)相

狗推门——嘴上前

狗尾巴做弦——不值一谈(弹)

狗尾巴草长在墙缝里——根子不正

狗尾巴上的露水——一甩就脱

狗尾巴拴秤砣——拖后腿

狗熊摆手——不玩了

狗熊掰苞米——顾此失彼

狗熊的脾气——翻脸不认人

狗熊穿大褂——混充人

狗熊戴礼帽——装大人物

狗熊戴手表——装体面

狗熊掉陷阱——有力无处使

狗熊见了刺猬——奈何不得;无可奈何

狗熊拉犁耙——不听那一套

狗熊爬墙头——笨手笨脚

狗熊捧刺猬——遇上棘手事

狗熊请客——没人上门

狗熊耍门棍——人熊家伙笨

狗熊坐花轿——冒充新娘子

狗摇尾巴——献殷勤

狗咬秤砣——嘴硬

狗咬狗——一嘴毛

狗咬叫花子——势利眼

狗咬雷公——惹天祸

狗咬吕洞宾——不识好人心

狗咬门板——吃不开

狗咬皮影——没有人味

狗咬屁股——肯定(啃腚)

狗咬旗杆——不知高低
狗咬瓦片——满嘴词(瓷)
狗咬旋风——捕风捉影
狗咬粽子——解不开
狗走千里吃屎,狼行千里吃肉——本性难移
狗嘴巴上贴对联——没门
狗嘴里的骨头——没多大油水
狗嘴里丢骨头——投其所好
姑娘爱花,小子爱炮——各有所好
姑娘的心,天上的云——不好捉摸
姑娘长胡子——少见
孤儿院的娃娃——穷小子
孤儿院下棋——穷快活;穷作乐
孤军误入口袋阵——好进难出
孤老头对老寡妇——孤寡一对
孤老头子光棍儿子——相依为命
箍桶匠的本领——成人方圆
骨缝里的肉——两头受挤
骨头打狗——白送
骨头鲠在喉咙里——吞不下,吐不出
骨头里熬油——难得
骨头炼油——难熬
骨头塞在喉里——不吐不快
骨头烧豆腐——软硬不均
古董店里的耗子——打不得
古董店里的老板——眼里识货
古坟里起烟——鬼火直冒
古井里的蛤蟆——难见天日
古庙里的石像——老实(石)人
古曲演奏——老调重弹

古书堆里的蛀虫——咬文嚼字
枯牛拼命——勾心斗角
牯牛身上拔根毛——微不足道
鼓槌打石榴——敲到点子上
鼓捣财神爷的口袋——想发意外之财
鼓肚蛤蟆钻喇叭——忍气吞声
鼓楼上吹唢呐——高调
鼓楼上的灯笼——高明
鼓上安电扇——吹牛皮
鼓着肚子充胖子——外强中干
鼓着肚子说话——气粗
谷糠擦屁股——不利索
谷糠蒸窝头——捏不拢
谷子地里长玉米——突出
故宫里插杨柳——树(竖)不起来
雇贼看门——自讨苦吃
刮大风穿绸衫——抖起来了
刮大风吹牛角——两头受气
刮大风撒蒺藜——连讽(风)带刺
刮风扫地，下雨泼街——假积极
瓜地里选瓜——越看眼越花
瓜瓢里点灯——漂(瓢)亮
瓜熟蒂落——时机成熟
瓜藤绕到豆棚上——纠缠不清
瓜田不纳履，梨下不正冠——避人嫌疑；避嫌
瓜田里拌跤——遭殃(秧)啦
瓜子敬客——一点心
瓜子皮喂牲口——不是好料
瓜子去了皮——心上人(仁)
寡妇不改嫁——老手(守)

寡妇改嫁——挪挪窝

寡妇进当铺——要人没人,要钱没钱

寡妇卖孩子——最后一着

寡妇梦丈夫——一场空

寡妇无儿——老来苦

挂羊头卖狗肉——有名无实;表里不一

挂在磨盘上的扫帚——团团转

拐女嫁瘸郎——谁也不嫌谁

拐杖吹火——一窍不通

拐子唱歌瞎子听,聋子演戏哑巴看——取长补短

拐子登场——立场不稳

拐子追马——望尘莫及

拐子走路——步步歪

官兵并坐——上下不分

官兵不分,高低不论——平起平坐

官仓里的大老鼠——肥吃肥喝

官老爷的衙门——难进

官老爷上朝——按部就班

官老爷下轿——不(步)行

棺材摆在床上——大难临头

棺材板上画花——讨好鬼

棺材店里开药店——死活都要钱

棺材搁在树桠上——死无葬身之地

棺材老板咬牙——恨人不死

棺材里打呵欠——阴阳怪气

棺材里打架——死对头

棺材里打锣——吵死人;闹鬼

棺材里打算盘——死要钱

棺材里的臭虫——咬死人

棺材里的耗子——吃人心肝

棺材里抹眼泪——死得屈

棺材里伸手——死要钱

棺材里弹琴——死中作乐

棺材里偷汉子——死不要脸

棺材里洗脸——死要面子

棺材里寻医——死里求生

棺材铺里冒烟——阴阳怪气

棺材铺偷工减料——坑死人

棺材上画老虎——吓鬼;吓死人

棺材上画美女——逗死人

冠军和亚军——数一数二

关灯打老婆——使暗劲

关帝庙的门槛——千人踏,万人跨

关帝庙求子——找错了门

关公脖子挂葫芦——脸红脖子粗

关公吃尺——肚里有分寸

关公打喷嚏——自我吹嘘(须)

关公当木匠——大刀阔斧

关公开刀铺——货真价实

关公开凤眼——要杀人

关公流鼻血——红上加红

关公卖豆腐——人强货不硬

关公面前耍大刀——忘了自个儿姓名

关公舞大刀——拿手好戏

关公战秦琼——乱了朝代

关公在曹营——心不在焉

关公走麦城——吃亏全在大意

关节炎遇上连阴雨——老毛病又犯了

关进笼子里的猴子——抓耳挠腮

关老爷搽胭脂——红上加红

关老爷赴宴——单刀直入
关了闸的喇叭——一声不响
关门踩高跷——自看自高
关门打财神——穷极了
关门打叫花子——拿穷人开心
关门打老婆——家里横
关门放屁——偷偷消气
关门过日子——自家知底细
关门起年号——称王称霸
关门养虎——后患无穷
关门做皇帝——自封为王
关羽降曹操——身在曹营心在汉
关云长放屁——不知脸红
关云长失荆州——骄兵必败
观景上泰山——回头见高低
观世音菩萨——有求必应
观音大士下凡——救苦救难
观音的肚腹——慈善心肠
观音菩萨打喷嚏——好神气
观音菩萨的五脏——满肚子泥
观音菩萨下毒手——面善心不善
观音菩萨下人间——救苦救难
观音菩萨坐大堂——死官僚
观音菩萨坐轿子——靠众人抬举
观音菩萨坐莲台——高高在上
观音堂里着火——妙哉(庙灾)
观音斋罗汉,罗汉斋观音——互相帮助
管家婆的鸡蛋——心中有数
管水员开闸门——放任自流
管丈母娘叫大嫂子——没话找话

罐头食品——吃得开
罐子里燃木炭——有火没处发
罐子里掏虾米——抓瞎(虾)
罐子里养个王八——出息不大
罐子里装王八——窝脖货
罐子里煮牛头——不深入
光膀子扛机枪——赤膊上阵
光膀子烤火——冷热结合
光膀子玩刀山——早晚有他的好看
光腚穿皮袄——顾上不顾下
光腚系围裙——顾前不顾后
光腚洗澡——一丝不挂
光腚戴口罩——顾嘴不顾身
光腚钻草堆——自己献丑
光头上的虱子——明摆着
光棍对光棍——二杆子
光棍儿分田——单干
光棍梦见娶老婆——尽想好事
光棍娶寡妇——两全其美
光讲骆驼,不讲蚂蚁——光拣大的说
光脚丫子进冰窖——凉到底了
光脚丫子走刺蓬——小心在意
光筷子吃碗豆——滑头对滑头
光屁股穿大褂——凉了半截
光屁股赶贼——胆大不害臊
光屁股进当铺——自己当人,人家不当人
光屁股上吊——羞死人;死不要脸
光屁股上街——不知羞耻
光屁股抬棺材——羞死人
光屁股坐板凳——有板有眼

光起风不下雨——干吹
光身捆皮带——穷讲究；穷打扮
光身子玩滚轮——转圈丢人
光说不练——嘴巴子戏
光头出家——两全其美
光头跑进和尚庙——充数
光头上拍巴掌——正大（打）光明
光头上面长虱子——无处藏身
光着腚跳舞——丑态百出
光头打伞——无法（发）无天
广东人说北京话——南腔北调
闺女出嫁不想娘——白疼一场
龟背上刮毡毛——痴心妄想
鬼打巫婆——无法
鬼遇张天师——有法难使
鬼子兵进村——来者不善
鬼子兵弄刀枪——杀气腾腾
鬼子兵逃命——屁滚尿流
鬼子扫荡大拉网——十室九空
刽子手吃斋——冒充善人
刽子手的本领——杀人的勾当
刽子手咧嘴——笑里藏刀
刽子手烧香——假慈悲
桂花树旁搭厕所——一阵香，一阵臭
桂林三花酒——好冲
跪在老虎面前喊恩人——善恶不分
滚石下山——一砸到底
滚水锅煮娃娃——熟人
滚水锅煮寿星——老熟人
滚水泼老鼠——在劫难逃

滚水泼蚂蚁——一窝都是死

滚汤锅里的螺蛳——水深火热

滚油锅里炸油条——翻来覆去

棍子蘸石灰——白打

锅边上的油渣——练(炼)出来的

锅边上的小米——熬出来的

锅底笑话缸底黑——光看别人黑,不见自己黑

锅底上戳窟窿——捅漏子

锅盖做风箱——受了热气受冷气

锅里不讨碗里讨——找错了对象

锅里的螃蟹——横行不了几时

锅里剖西瓜——滴水不漏

锅炉房里的灯笼——气昏了

锅台上种瓜——难发芽

锅灶上天——气炸了

国画馆里倒垃圾——尽废话(画)

裹脚布放风筝——臭名远扬

裹脚布挂在旗杆上——打的什么旗号

裹脚布做阳伞——一步(布)登天

裹脚布作衣领——臭一圈

裹着脑袋上吊——撕(死)不开脸面

过冬的大葱——叶烂皮干心不死

过冬的田螺遇春水——扬眉吐气

过坟场吹口哨——给自己壮胆

过河踩钢丝——太悬乎

过河拆桥——忘恩负义

过河抽板——没良心

过河打船工——恩将仇报

过河的卒子——横竖都行

过河丢拐棍——忘本

过河摸屁股——小心过度(渡)
过河洗脚——一举两得
过河卒子做生意——一卖到底
过街的老鼠——人人喊打
过了黄梅天买蓑衣——不识时务
过了火的猪头——焦头烂额
过了这个村,没有这个店——机不可失
过路人打狗——边打边走
过滤了的空气——新鲜
过年吃豆渣——穷极了
过年借礼帽——不识时务
过年敲锅盖——穷得叮当响
过年娶媳妇——双喜临门
过期的药丸——失效了
过时的历书——没用处
过五关斩六将——气概非凡

H

哈尔滨的冰雕——冷冰冰,硬邦邦
哈哈镜放在大街上——惹人见笑
哈哈镜照人——当面出丑
蛤蟆被牛踩——浑身是伤
蛤蟆蹦到脚面上——不咬人,却烦人
蛤蟆吃骰子——满肚子点子
蛤蟆吃萤火虫——心里亮
蛤蟆打喷嚏——好大的口气
蛤蟆带笼头——好大的脸皮
蛤蟆当鼓敲——气难消
蛤蟆荡秋千——摆不起来
蛤蟆的眼睛——突出

蛤蟆垫板凳——死撑活挨
蛤蟆腚上插鸡毛——不是正经鸟
蛤蟆跟着团鱼转——装王八孙子
蛤蟆鼓肚子——气鼓气胀
蛤蟆骨头熬汤——没多大油水
蛤蟆挂铃铛——吵闹不休
蛤蟆过河——一鼓作气
蛤蟆爬楼梯——连蹦带跳
蛤蟆爬上樱桃树——想吃高味
蛤蟆伸长脖子想吞月亮——想头不低
蛤蟆跳到牛背上——自以为大
蛤蟆跳进蟒蛇嘴里——找死
蛤蟆跳台阶——又蹲屁股又伤脸
蛤蟆想吞天——好大的口气
哈巴狗戴串铃——混充大牲口
哈巴狗蹲田头——假装坐地虎
哈巴狗掉进茅坑里——饱餐一顿
哈巴狗抖尾巴——唬(虎)起来了
哈巴狗见主人——摇尾乞怜
哈巴狗上粪堆——自封为王
哈巴狗上墙头——紧抓挠
哈巴狗摇尾巴——献殷勤
哈巴狗坐轿——抬举畜牲
孩儿脸——说变就变
孩儿他妈拿尺子——凄(妻)凉(量)
孩子的脊梁——小人之辈(背)
孩子考妈妈——小题大作
孩子离了娘——无依无靠
海边的大雁——见过风浪
海滨的潮汐——后浪推前浪

海底捞月——白忙活
海椒命,姜桂性——越老越辣
海军的衬衫——道道多
海里打落剑——唠叨(捞刀)
海龙王吃螃蟹——敲骨吸髓
海龙王打哈欠——好大的口气
海龙王的喽罗——虾兵蟹将
海绵里的水——不挤不出
海市蜃楼,天涯彩虹——虚的虚,空的空
海水煮黄连——苦上加苦
海蜇头做帽子——装滑头
害啥病吃啥药——对症下药
含冰糖说好话——甜言蜜语
含着骨头露着肉——吞吞吐吐
韩湘子出家——一去不复返
韩湘子的花篮——要啥有啥
韩湘子拉着铁拐李——一个吹,一个捧
韩信点兵——多多益善
寒潮消息——冷言冷语
寒冬腊月聊天——冷言冷语
寒号鸟晒太阳——得过且过
寒流来了吹暖气——冷嘲(潮)热讽(风)
寒暑表——忽冷忽热
寒暑表里的水银柱——能上能下
寒天吃冰棍——心里有火
旱地的鱼虾——性命难保
旱地里的蛤蟆——干鼓肚
旱坡上划船——行不通
旱塘里的青蛙——盼下雨
旱天的井——水平太低

旱天逢甘霖——正适时
旱天刮西北风——干吹
旱天掏井——急功近利
旱田里的泥鳅——钻得深
旱鸭子过河——不知深浅
旱烟袋——一头冷来一头热
旱烟袋打鸟——不是真腔(枪)
焊枪的喷嘴——一点就着
焊条碰钢板——冒火
汉高祖斩白蛇——一刀两断
航空兵操纵——随机应变
航天飞机出发——远走高飞
豪猪拱洞——吃里爬外
好儿无好媳——美中不足
好汉挨木棒——痛死不开腔
好汉不吃眼前亏——识时务
好花离了枝——蔫了
好马不吃回头草——倔强
好马遭鞭打——忍辱负重
好女嫁丑汉——不般配
好女嫁歹汉，瘦驴吃牡丹——搭配不当
好人喊冤——不平则鸣
好心当作驴肝肺——不识好歹
好心走一遭，回头被狗咬——恩将仇报
耗干了油的灯火——奄奄一息(熄)
耗子搬家——穷折腾
耗子不留隔夜粮——吃光用光
耗子吃猫——不自量
耗子吃砒霜——翻白眼
耗子充蝙蝠——白熬夜

耗子出洞——东张西望

耗子打洞——找门路

耗子打瞌睡——不显眼

耗子打秋千——头朝下

耗子戴眼镜——鼠目寸光

耗子的眼睛——目光短浅;只看一寸远

耗子掉水缸——时髦(湿毛)

耗子跌面缸——白眼看人

耗子盯小偷——贼眉鼠眼

耗子洞里摆神像——莫名其妙(庙)

耗子洞里打架——窝里战

耗子逗猫——自取其祸

耗子给猫捋胡子——溜须不要命

耗子滑冰——溜得快

耗子嫁猫——自己找死

耗子进书箱——蚀(食)本

耗子看粮仓——监守自盗

耗子扛枪——窝里横

耗子啃床腿——白费牙

耗子啃碟子——满嘴词(瓷)

耗子啃肥膘——大有油水可捞

耗子啃神龛——欺神灭相

耗子啃书本——咬文嚼字

耗子啃玉米棒——顺杆(秆)爬

耗子挎枪——署(鼠)官

耗子拉鸡蛋——滚蛋

耗子爬案板——熟路

耗子爬秤钩——自称自

耗子爬到树梢上——自高自大

耗子爬竹竿——一节节来

耗子睡在粮仓里——不愁吃
耗子舔猫屁股——拼命巴结
耗子跳到钢琴上——乱谈(弹)
耗子跳火坑——爪干毛净
耗子偷秤砣——心有余而力不足
耗子偷油喊捉贼——虚惊一场
耗子腿子摆宴席——小题(蹄)大作
耗子拖泰山——野心太大
耗子尾巴上长癣——小毛病
耗子眼看天——小瞧
耗子在窝里藏粮——有备无患
耗子钻到竹筒里——死不回头
耗子钻进古书堆——吃老本
耗子钻鸟笼——你算哪头鸟
耗子钻象鼻——小能降大
耗子钻油坊——吃香
耗子钻油壶——有进无出
耗子钻灶火——不死也要脱层皮
号嘴上贴封条——吹不响
好斗的公鸡——肥不了
好斗的山羊——顶顶撞撞
喝茶拿筷子——摆设
喝敌敌畏跳井——必死无疑
喝多了滚开水——一片热心肠
喝海水长大的——见过风浪
喝江水,说海话——没边没沿
喝酒不拿盅子——胡(壶)来
喝酒晒太阳——周身火热
喝开水吞炒面——不含糊
喝凉水拿筷子——多此一举

喝凉水塞牙缝——倒霉透了

喝凉水剔牙缝——没事找事

喝凉水栽跟头——装晕

喝老陈醋长大的——光说酸话

喝了两斤老陈醋——心酸得很

喝了迷魂汤——神魂颠倒

喝了太平洋的水——宽大无边

喝了五味汤——啥滋味都有

喝米汤划拳——光图热闹

喝磨刀水长大的——秀(锈)气在内

喝松花江水长大的——管得宽

喝完浆水上吊——糊涂死了

喝西北风打饱嗝——硬挺

喝西北风堵嗓子——倒霉透了

喝足酒跳太湖——罪(醉)该万死

合唱团里的哑巴——凑数

何家姑娘嫁郑家——正合适(郑何氏)

何仙姑走娘家——云里来,雾里去

河边上撑篙——一杆子插到底

河边拾蛤蜊——净捞

河伯娶妻——坑害民女

河里的木偶——随大流

河里的泥鳅——老奸巨猾

河里的鸳鸯——一对儿

河里赶大车——没辙

河里捞不到鱼——抓瞎(虾)

河里摸鱼摸到一只大王八——捞外快

河南到河北——两省

河滩的石头滚上坡——无奇不有

河水不犯井水——互不相干

河豚鱼撞船——一肚子气

河心的船——明摆着

河中的礁石——顶风顶浪

荷包里装针——锋芒毕露

荷叶做雨伞——遮盖不住

和尚拜丈母娘——怪事一桩

和尚背枷——知法犯法

和尚别发卡——调(挑)皮

和尚不吃豆腐——怪哉(斋)

和尚吃荤——开戒

和尚打赤脚——两头光

和尚打架——抓不到辫子

和尚打喇嘛——管得宽

和尚打阳伞——无法(发)无天

和尚戴礼帽——与众不同

和尚的袈裟——七拼八凑

和尚的木鱼——合不拢嘴

和尚的脑袋——无法(发)

和尚的梳子——多余

和尚的住处——妙(庙)

和尚换秃子——一个样

和尚结辫子——假的

和尚开门——突(秃)出

和尚看花轿——白欢喜

和尚留头发——无计(髻)

和尚没当上,老婆没娶上——两下耽搁

和尚庙里住尼姑——是非多

和尚念经——老一套

和尚盼儿子——下辈子的事

和尚敲木鱼——老一套

和尚娶老婆——岂有此理

和尚去云游——出事(寺)了

和尚头上别金簪——忍痛图好看

和尚挖墙洞——妙(庙)透了

和尚训道士——管得宽

和尚遇见秃子——一家人不认一家人

和尚摘帽子——头名(明)

和尚作案赖道士——嫁祸于人

鹤立鸡群——才貌出众

黑灯瞎火跳舞——暗中作乐

黑地里打躬——没人领情

黑地里张弓——暗藏杀机

黑洞里裹脚——瞎缠

黑蜂子扑火——有去无回

黑狗偷油打白狗——搞错了

黑狗熊耍扁担——胡抡

黑老鸹嫁凤凰——不配

黑脸演花旦——变了角色

黑天摸黄鳝——不知长短

黑天做投机生意——看不见的勾当

黑屋里打算盘——暗算

黑瞎子吃人参——不知贵贱

黑瞎子打花脸——熊样

黑瞎子打立正——一手遮天

黑瞎子冬眠——做美梦

黑瞎子叫门——熊到家了

黑瞎子蒙红头巾——冒充新娘子

黑瞎子捧刺猬——棘手

黑瞎子披大氅——不像人样

黑瞎子上房脊——熊到顶了

黑瞎子耍门板——人熊家伙笨

黑瞎子跳井——熊到底了

黑瞎子照镜子——熊样

黑瞎子遮太阳——手大捂不住天

黑瞎子装弥勒佛——面善心不善

黑瞎子坐轿——没人抬举

黑瞎子坐月子——吓(下)熊了

黑旋风李逵——有勇无谋

黑夜天摘黄瓜——不分老嫩

黑纸糊灯笼——不明不白

狠心后娘打孩子——暗里下手

恨虱子烧棉袄——得不偿失

横扛竹竿进宅——不入门

横垄地里撵瘸子——一步跟不上,步步跟不上

横垄台拉石磙——步步有坎

烘炉烤大饼——翻来覆去老一套

鸿雁传书——空来往

洪水淹了龙王庙——自家人不识自家人

红白喜事一起办——哭笑不得

红鼻绿眼的鬼——没安好心

红绸子包山楂——里外红

红蓝铅笔——两头挨削

《红楼梦》里的贾府——大有大的难处

红萝卜雕花——好看不好吃

红萝卜刻娃娃——红人

红娘拿到崔莺莺的信——心领神会

红薯干充天麻——冒牌货

红头苍蝇叮烂猪头——臭味相投

红头火柴——一擦就着

红头绳穿铜钱——心连心

红眼老鼠出油缸——吃里爬外

侯门的小姐，王府的少爷——四体不勤，五谷不分

喉咙卡骨头——说话带刺

喉咙里安雷管——一谈（弹）就崩

喉咙里灌铅——张口结舌

喉咙里塞胡椒——够呛

喉咙里使勺子——淘（掏）气

喉咙里长疙瘩——赌（堵）气

喉咙长刺口生疮——说不出好话来

猴吃辣椒——抓耳挠腮

猴戴皮巴掌——毛手毛脚

猴儿戴帽子——衣冠禽兽

猴儿的脸，猫儿的眼——说变就变

猴儿拿棒槌——胡抡

猴儿拳——小架势

猴儿耍大刀——胡砍

猴儿托生的——满肚子心眼

猴屁股扎蒺藜——坐立不安

猴王闹天宫——大打出手

猴子不咬人——嘴脸难看

猴子吃大蒜——翻白眼

猴子吃仙桃——眉飞色舞

猴子吹喇叭——没人声

猴子戴箍——自上圈套

猴子戴眼镜——冒充斯文

猴子的屁股——坐不住

猴子看果园——越看越光

猴子拉犁——顶牛

猴子拉稀——坏肚肠

猴子捞月亮——一场空

猴子爬杆狗钻圈，黄鼠狼专钻水道眼——各有各的门道
猴子爬上旗杆顶——高高在上
猴子爬上凉亭睡——丑鬼耍风流
猴子上旗杆——顺杆爬
猴子耍把戏——翻来覆去老一套
猴子耍耗子——大眼瞪小眼
猴子照镜子——没个人模样
猴子坐宫殿——惹祸大王
猴子坐火箭——远走高飞
猴嘴里掏枣，狗嘴里夺食——难办
后半夜做美梦——好景不长
后播的荞子先结果——后来居上
后脖子抽筋——耷拉着脑袋
后脑勺戴眼镜——朝后看
后脑勺挂镜子——照人不照己
后脑勺挂笊篱——置之脑后
后脑勺拍巴掌——背后整人
后脑勺长疮——自己看不见
后娘打孩子——暗里使劲
后娘的拳头——毒极了
后娘坟上哭鼻子——假伤心
候车室的挂钟——群众观点
厚纸糊窗——不透风
胡豆地里出油菜——杂种
胡萝卜打锣——去一半
胡萝卜戴草帽——红人儿
胡萝卜疙瘩——上不了台盘
胡萝卜煮豆腐——红白不分
胡琴里藏知了——弦外有音
胡同里跑马——直进直出

胡子上挂霜——一吹就了

胡子贴膏药——毛病

湖南到湖北——两省

猢狲推泰山——自不量力

蝴蝶落在鲜花上——恋恋不舍

蝴蝶群舞——花花世界

糊了纸的玻璃窗——看不透

糊涂虫做媒——两头挨骂

糊涂官判无头案——审不清，断不明

糊涂老板糊涂帐——难算

糊涂老婆——乱当家

糊涂庙里糊涂神——糊涂到一块了

葫芦掉井——不成(沉)

葫芦架子一齐倒——分不清

葫芦锯了把儿——没嘴儿

葫芦蔓缠上南瓜藤——难解难分

葫芦藤上结南瓜——无奇不有

葫芦上架——吊起来了

狐狸奔鸡窝——熟路

狐狸搽花露水——臊气还在

狐狸吵架——一派胡(狐)言

狐狸吃刺猬——无从下口

狐狸撞猎枪——死到临头

狐狸打不着——空惹一身臊

狐狸的尾巴——藏不住

狐狸掉进污水池——又臊又臭

狐狸放屁——臊气

狐狸给鸡拜年——不怀好意

狐狸给老虎搔痒——卖弄风骚

狐狸跟着老虎走——狐假虎威

狐狸和狗拜把子——狐群狗党
狐狸回窝兜三兜——鬼花招
狐狸嫁黄鼠狼——一对臊货
狐狸进村——没安好心
狐狸精变美女——迷人心窍
狐狸精打呵欠——妖里妖气
狐狸精放屁——妖气
狐狸精问路——没有好道道
狐狸看鸡——越看越稀
狐狸哭兔子——假慈悲
狐狸骑老虎——狐假虎威
狐狸同虎斗——不是对手
狐狸窝里斗——自相残杀
狐狸照镜子——怪模怪样
狐狸装猫叫——想投机(偷鸡)
狐狸钻罐子——藏头露尾
狐狸钻灶——露了尾巴
狐狸做梦——想投机(偷鸡)
囫囵吃枣——独吞
囫囵吞枣——食而不知其味
囫囵吞芝麻——一肚子点子
虎伴羊睡——靠不住
虎口拔牙——胆子不小
虎入中堂——家破人亡
虎生猪猡——又笨又恶
虎头上捉虱子——自己找死
虎头铡下服刑——一刀两断
虎窝里跑出个羊崽——虎口余生
虎坐莲台——冒充善人
花布斜扯——歪道道多

花绸上绣牡丹——锦上添花
花粉喂牲口——不够嚼
花岗岩雕人像——心肠硬
花岗岩脑袋——顽固不化
花岗岩做招牌——牌子硬
花工师傅的把势——移花接木
花公鸡的尾巴——翘得高
花公鸡上舞台——光显自己漂亮
花果山的猴子——无法无天
花果山的美猴王——个小本领强
花果山的日子——猴年猴月
花和尚穿针鼻——大眼瞪小眼
花花猫生了个灰老鼠——孬种
花花枕头装秕糠——外面好看里面空
花匠捧仙人球——扎手
花椒木雕孙猴——麻木不仁(人)
花椒水洗脸——麻痹(皮)
花椒煮猪头——肉麻
花轿没到就放炮——高兴得太早了
花篮里装泥鳅——跑的跑,溜的溜
花狸猫卧房顶——活受(兽)
花猫蹲在屋脊上——唯我独尊
花木兰从军——冒名顶替
花前月下散步——触景生情
花钱买死马——尽干蠢事
花蛇过溪——弯弯曲曲
花生地里开花——落地生根
花生壳里的臭虫——冒充好人(仁)
花生米掉锅里——熟人(仁)
花蚊子咬人——盯(叮)住不放

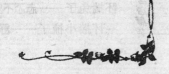

花心萝卜充人参——冒牌货
花眼婆婆纫针——对不上眼
花子进庙——穷祷告
花子婆娘翻跟头——穷折腾
花子婆娘画眉毛——穷讲究
花子早起——穷忙
华容道上放曹操——不忘旧情
化脓的疖子——不攻自破
华佗行医——名不虚传
华佗治病——手到病除
桦木拐杖——宁折不弯
画笔敲鼓——有声有色
画饼充饥——自欺欺人
画虎不成反类犬——弄巧成拙
画里的大饼——不能充饥
画龙点睛——功夫到家了
画上的美人儿——爱不得
画上的鸟——有翅难飞
画上的仙桃——好看不好吃
画上的元宝——不值钱的货
画蛇添足——多此一举
话儿把石头熔化——柔能克刚
怀揣冰棍——凉透心
怀揣刺猬——抱着嫌扎手,丢又舍不得
怀揣火炉——热心
怀揣金子——心里沉重
怀揣棉花弓——往心里谈(弹)
怀揣十五只小兔——七上八下
怀揣兔子——忐忑不安
怀揣小梳子——舒(梳)心

怀揣雪人——寒心

怀里揣篦子——舒(梳)心

怀里揣刀子——不存好心

怀里揣锅盔——不肯(啃)

怀里揣黄连——辛(心)苦

怀里揣镜子——心里明

怀里揣漏勺——心眼多

怀里揣马勺——诚(盛)心

怀里揣棉花——暖人心

怀里揣笊篱——劳(捞)心了

槐树上要枣吃——强人所难

獾狼下个小耗子——一辈不如一辈

换汤不换药——老一套

荒山长高粱——野种

皇帝不称皇帝——孤家寡人

皇帝打架——争天下

皇帝的后代——龙子龙孙

皇帝的交椅——至高无上

皇帝的女儿——不愁嫁

皇帝的女儿招驸马——拣好的挑

皇帝的圣旨将军的令——没法变

皇帝剃光头——不要王法(发)

皇帝做馒头——御驾亲征(蒸)

皇粮国税——免不得

皇上变了脸——要杀人

皇上吃窝头——装穷

皇上当平民百姓——一贬到底

皇上家的祠堂——太妙(庙)

皇上拍桌子——盛(圣)怒

皇上下令——一言为定

黄豆炒藕——无孔不入
黄飞虎战关云长——刀对刀
黄蜂绑在鳖腿上——有翅难飞
黄蜂的尾巴——毒极了
黄蜂窝里伸手——招惹大祸
黄蜂找窝——乱哄哄
黄盖挨板子——自觉自愿
黄瓜菜——凉啦
黄瓜敲木钟——一声不响
黄河的水,长江的浪——源远流长
黄河管不着长江——各顾各
黄河里洗澡——洗不清
黄鹤楼上看翻船——幸灾乐祸
黄鹤楼上看行人——把人看矮了
黄花女做媒——先人后己
黄昏瞧影子——又长又瘦
黄金能卖高价钱——物以稀为贵
黄连拌苦胆——苦到家了
黄连拌苦瓜——苦上加苦
黄连拌生姜——辛苦了
黄连打官司——诉苦
黄连雕寿星——苦老头
黄连炖猪苦胆——苦不堪言
黄连炖猪头——苦了大嘴的
黄连甘蔗挑一担——一头苦来一头甜
黄连锅里煮人参——从苦水里熬过来的
黄连木雕娃娃——苦孩子
黄连木做笛子——以苦为乐
黄连木做图章——刻苦
黄连酿酒——苦打成招(糟)

黄连泡茶——自讨苦吃

黄连树结蜜桃——苦中有甜

黄连树上的蛀虫——硬往苦里钻

黄连树上雕字——刻苦

黄连树上挂苦胆——苦相连

黄连树下吃桂圆——苦中有甜

黄连树下抚瑶琴——苦中作乐

黄连树下喊上帝——叫苦连天

黄连树下弹琵琶——苦中作乐

黄连树下一棵草——苦苗苗

黄连水洗头——苦恼(脑)

黄连水洗澡——从头苦到脚

黄连窝里生下来的——苦出身

黄连汁里泡三年——苦透了

黄毛娃娃坐上席——人小辈大

黄毛鸭子下水——不知深浅

黄泥巴做馍馍——土包子

黄牛打喷嚏——笨嘴拙舌

黄牛的肚子——草包

黄牛脚印水牛踩——一个更比一个歪

黄牛落泥塘——越陷越深

黄牛咬黄连——吃苦耐劳

黄鳝遇到泥鳅——滑头对滑头

黄鼠狼拜狐狸——一个更比一个坏

黄鼠狼抽了筋——浑身哆嗦

黄鼠狼串门子——到处放臭屁

黄鼠狼打洞——小打小闹

黄鼠狼戴花——臭美

黄鼠狼戴尿罐——晕头转向

黄鼠狼的腚——放不出好屁

黄鼠狼的脊梁——软骨头

黄鼠狼的脾气——偷鸡摸蛋

黄鼠狼等食——见机(鸡)行事

黄鼠狼叼鸡——有去无回

黄鼠狼躲鸡棚——不是偷也是偷

黄鼠狼放屁——臊气

黄鼠狼给鸡拜年——没安好心

黄鼠狼过闹市——人人喊打

黄鼠狼过泥塘——小手小脚

黄鼠狼过水田——拖泥带水

黄鼠狼和狐狸拜姐妹儿——一路骚(臊)货

黄鼠狼借鸡——有借无还

黄鼠狼啃乌龟——找不到头

黄鼠狼排队——一路骚(臊)货

黄鼠狼生鼬子——一路货

黄鼠狼逃命——屁滚尿流

黄鼠狼拖着鸡毛掸——空喜一场

黄鼠狼闻到鸡屎——想投机(偷鸡)

黄鼠狼下崽——一窝不如一窝

黄鼠狼钻粪堆——又臊又臭

黄鼠狼钻鸡笼——想投机(偷鸡)

黄鼠狼钻磨坊——假充大尾巴驴

黄鼠狼钻阴沟——各走各的路

黄土埋到嗓子眼——离死不远

黄土捏泥人——你中有我,我中有你

灰堆扒出个烧红薯——又吹又拍

灰堆吹喇叭——乌烟瘴气

灰堆烧山药——混蛋

回光返照——不久长

回炉的烧饼——不香甜

昏官判案——各打五十大板
婚后媒人秋后扇——没人理
浑人洗澡——干净不了
豁牙子拜师傅——无耻(齿)之徒
豁牙子吹火——漏风
豁牙子过冬——唇亡齿寒
豁牙子说话——含糊其辞
活人能叫尿憋死——怪事一桩
活鱼掉进醋缸——肉烂骨头酥
火把换灯笼——明来明去
火柴把上绑鸡毛——胆(掸)子小
火柴棒剔牙——专找缝子钻
火柴棍搭桥——难过
火柴盒做棺材——成(盛)不了人
火柴头碰磷片——一触即发
火车出站台——走得正,行得直
火车带车皮——勾(钩)搭得紧
火车到站,轮船靠岸——停止不前
火车道上推小车——一步一个坎
火车离轨——寸步难行
火车离了道——越轨
火车轮子——连轴转
火车头没灯——前途无量(亮)
火车响汽笛——一鸣惊人
火见火——没处躲
火箭上天——不翼而飞
火箭筒射击——两头冒火
火炉里撒盐巴——热闹
火炉子靠水缸——冷热结合
火炉子里烧油——火气太大

火盆里的木炭——红得发紫

火盆里栽藕——连根烂

火烧芭蕉——心不死

火烧草料场——逼上梁山

火烧灯草——灰心

火烧灯笼——露骨

火烧房子还看唱本——沉得住气

火烧蜂房——乱哄哄

火烧寒暑表——直线上升

火烧猴屁股——团团转

火烧胡子——眼前就是祸

火烧裤裆——痛不可言

火烧莲花寺——妙哉(庙灾)

火烧栗子——气崩了

火烧蚂蚁窝——四处逃散

火烧眉毛——急在眼前

火烧棉花铺——谈(弹)不成了

火烧屁股——坐不稳

火烧日历——没日子了

火烧寺庙——慌了神

火烧钟馗庙——笑煞鬼

火烧竹林——全是光棍

火烧字帖——自然(字燃)

火筒烧鳗——死了也值(直)

火种掉进干柴堆——一点就着

和稀泥,抹光墙——和事佬

货郎背包串乡——没挑的

货郎担洗手——撂挑子

货郎鼓——两边摆

货郎鼓别腰里——没货了

J

机关枪打炮弹——不对口径

机关枪打飞机——抬高自己，打击别人

机关枪上刺刀——连打带刺

机器人——没心没肝

机器人抓东西——是把硬手

畸形人做衣服——另搞一套

积木搭高楼——一推就倒

鸡抱鸭蛋——一场空

鸡巢里的凤凰——至高无上

鸡穿大褂狗戴帽——衣冠禽兽

鸡蛋炒韭黄——一色货

鸡蛋炒鸭蛋——混蛋

鸡蛋打豆腐——欺软怕硬

鸡蛋换鸭蛋——捣（倒）蛋

鸡蛋教训母鸡——岂有此理

鸡蛋筐里放秤砣——砸啦

鸡蛋壳上找缝——白费功夫

鸡蛋壳做线板——难缠

鸡蛋里淌水——坏蛋

鸡蛋里挑骨头——无中生有

鸡蛋里挑刺——无中寻有

鸡蛋碰石头——没有好下场

鸡蛋生蛆——肚里坏

鸡蛋长爪子——能滚能爬

鸡蛋走路——滚蛋

鸡飞蛋打——一场空

鸡给黄鼠狼拜年——自投罗网

鸡狗做邻居——老死不相往来

鸡冠花——老来红

鸡叫启程——越走越亮堂

鸡毛插在桅杆上——胆(掸)子不小

鸡毛掸沾水——时髦(湿毛)

鸡毛当令箭——大惊小怪

鸡毛点灯——十有九空

鸡毛堵住耳朵——装聋

鸡毛想上天——谈何容易

鸡毛与蒜皮——微不足道

鸡毛做掸子——物尽其用

鸡脑袋上磕烟灰——几(鸡)头受气

鸡屁股里掏蛋——等不及

鸡屁股拴绳——扯淡(蛋)

鸡群里闯进一只鹅——就你脖子长

鸡群里的仙鹤——高人一头

鸡食盆里的鸭子——多嘴多舌

鸡死狼吊孝——假慈悲

鸡随鸡,狗随狗——臭味相投

鸡头对鸭颈——脸红脖子粗

鸡尾巴上绑扫帚——好伟(尾)大

鸡窝里的蚱蜢——胆战心惊

鸡窝里飞出金凤凰——异想天开

鸡鸭共一笼——语言不通

鸡长牙齿蛋生毛——天下奇闻

鸡爪上钉掌子——不对题(蹄)

鸡子跌米箩——不愁吃

激流里的船——难回头

脊梁骨长茄子——生了外心

脊梁上吊镜子——照见别人,照不见自己

脊梁上长桃子——另有心

蒺藜果——小刺儿头
蒺藜上弹棉花——越整越乱
蒺藜窝里睡觉——浑身不自在
集体逃难——一窝蜂
急惊风碰着个慢郎中——干着急
急水滩里的鹅卵石——磨掉了棱角
急需的图章——刻不容缓
几百年的老旧账——算不清
麂子饮水——成双成对
挤虮子的血都要舔——吝啬鬼
脊背长疮，胸口贴膏药——不顾后患
济公的扇子——神通广大
既保娘娘，又保太子——两全其美
妓女抱本《烈女传》——假装正经
妓女院的鸨儿——心狠手毒
妓女院门口的对联——宁在花下死，做鬼也风流
夹火钳子——一头热
夹着尾巴做人——忍气吞声
夹子上的老鼠——跑不了
家家都有一本难念的经——各有难处
家雀变凤凰——越变越好
家雀儿吵嘴鸡打架——无人管
甲鱼吃木炭——黑心王八
甲鱼翻跟头——四脚朝天
甲鱼照镜子——龟相
假银元买到死猪肉——一个骗一个
贾宝玉出家——看破红尘
贾宝玉的通灵玉——命根子
贾宝玉结婚——不是心上人
贾宝玉看《西厢记》——戏中有戏

贾府的后代——坐享其成
贾家姑娘嫁贾家——假(贾)门假事(贾氏)
嫁出去的女子——难收回
嫁给染匠的女人——贪色
嫁接的果树——节外生枝
煎过三遍的药——废物
奸商同骗子做生意——尔虞我诈
肩膀上生疮——挑不起重担
肩上戴帽子——矮了一头
尖屁股坐石窝——对上眼了
剪不断，理还乱——千头万绪
捡来的媳妇——不美满
捡了芝麻甩了西瓜——因小失大
拣根鸡毛当令箭——谁听你的
拣根铁棒当灯草——说得轻巧
毽子上的鸡毛——钻进钱眼里了
见到猫就怕——胆小如鼠
见到肉的鹰——眼红
见高就拜，见低就踩——势利眼
见狗扔骨头——投其所好
见了苍绳都想扯条腿——贪得无厌
见了大嫂唤大姑——不认人
见了官老爷叫舅——想高攀
见了棺材不落泪——心肠硬
见了和尚叫舅子——乱认亲
见了骆驼说马背肿——少见多怪
见了强盗喊爸爸——认贼作父
见了寿衣也想要——贪心鬼
见了蚊子就拔剑——大惊小怪
见人抛媚眼——卖弄风流

见人先作揖——礼多人不怪
见啥菩萨念啥经——到哪说哪
见啥菩萨烧啥香——看人行事
鉴真和尚东渡——传经送宝
箭上弦上——一触即发
箭猪碰上刺猬——刺对刺
姜太公的钓鱼钩——直来直去
姜太公钓鱼——愿者上钩
姜太公钓王八——愿者伸脖子
姜太公封神——自己没有份儿
姜太公说相声——神聊
姜太公算卦——未卜先知
姜太公在此——哪有你的位置
姜子牙的坐骑——四不像
姜子牙火烧琵琶精——现了原形
姜子牙开算命馆——买卖兴隆
姜子牙娶媳妇——老来喜
将军返乡——解甲归田
将军不下马——各奔前程
江边开染房——大摆布
江湖佬卖假药——招摇撞骗
江湖佬耍猴子——名堂多
江湖骗子耍贫嘴——夸夸其谈
江南的蛤蟆——难缠(南蟾)
奖状绑在笤帚上——名誉扫地
讲话没人听，下令没人行——光杆司令
讲评书的长口疮——口难开
讲武堂里学打仗——纸上谈兵
将门出虎子——一代更比一代强
酱菜缸里的瓜子——闲人(仁)

酱菜缸里泡石头——一言(盐)难尽(进)

酱油店里打架——争风吃醋

酱油铺里的伙计——爱管闲(咸)事

糨糊洗脸——头脑不清

交易所的拿破仑——财棍

胶鞋渗水——纰(比)漏

蛟龙翻大海——四方遭灾

蛟龙困在沙滩上——抖不起威风

蛟龙造反——翻江倒海

焦了尾巴梢子——绝后

焦赞与杨排风比武——处处挨打

教观音菩萨识字——枉费心机

教猴子爬树——多此一举

嚼过的甘蔗——不甜

嚼烂舌头当肉吃——自吃自

饺子露馅——伤了面皮

脚板儿擦油——溜啦

脚板上扎刺——存心不让走

脚板上长草——慌(荒)了手脚

脚绑石头走路——求稳不求快

脚脖子上把脉——瞎摸

脚脖子挂铜铃——走一路,响一路

脚踩棒槌,头顶西瓜——两头耍滑

脚踩火箭——一步登天

脚踩棉花堆——不踏实

脚踩三尺雪——凉了半截

脚踩石灰路——白跑

脚踩西瓜皮——溜啦

脚踩沼泽地——越陷越深

脚打锣,手敲鼓——两头忙

脚戴帽子头顶靴——上下不分

脚登黄山，眼望峨眉——这山望着那山高

脚底抹油——溜得快

脚底下钉钉——寸步难行

脚底下使绊子——暗里伤人

脚夫的腿，说书的嘴——练出来的

脚跟拴石头——进退两难

脚后跟拴藤条——拉倒

脚面上长眼睛——自看自高

脚盆和面——不知香臭

脚盆洗脸——不分上下

脚上穿袜，头上戴帽——老一套

脚上的泡——自己走的

脚上抹石灰——处处留迹

脚踏车撵汽车——望尘莫及

脚踏两只船——摇摆不定

脚踏跷跷板——一上一下

脚踏乌龟背——心里痛

脚像钉耙，手像蒲扇——大手大脚

脚长鸡眼臀生疮——坐立不安

搅屎棍支桌子——摆臭架子

轿子进门才放炮——晚了

轿子进了门，不见新媳妇——人财两空

叫哈巴狗咬狮子——唆人上当

叫花子摆阔气——穷大方

叫花子搬家——一无所有

叫花子抱着醋坛子——穷酸

叫花子比神仙——不沾边

叫花子拨算盘——穷有穷打算

叫花子搽粉——穷讲究

叫花子唱莲花落——穷开心

叫花子吃豆腐——一穷二白

叫花子吃葡萄——穷酸

叫花子吃剩饭——自讨的

叫花子打狗——边打边走

叫花子打哈哈——其乐无穷

叫花子打架动刀子——穷凶极恶

叫花子打了碗——倾家荡产

叫花子的打狗棍——穷棒子

叫花子的家当——破烂货

叫花子的米——肚里有数

叫花子登榜——人不可貌相

叫花子丢拐棍——受狗欺

叫花子夫妇调情——穷快活

叫花子赶集——场场不缺

叫花子过烟瘾——讨厌(烟)

叫花子嫁长工——穷对穷

叫花子接彩球——喜出望外

叫花子进贡——穷尽忠

叫花子进衙门——有理说不清

叫花子看外婆——两手空

叫花子夸祖业——自己没出息

叫花子拉二胡——穷扯

叫花子篮里抢冷饭——不近人情

叫花子擂鼓——穷开心

叫花子练跌打——穷折腾

叫花子亮相——穷相毕露

叫花子碰上大雪天——饥寒交迫

叫花子起五更——穷忙

叫花子请客——穷张罗

叫花子晒太阳——享天福
叫花子上坟——哭穷
叫花子说嫁妆——穷人说大话
叫花子睡觉——穷困
叫花子提亲——穷凑合
叫花子跳井——穷途末路
叫花子嫌糯米——可怜不得
叫花子泻肚——入不敷出
叫花子要黄连——自讨苦吃
叫花子游西湖——穷风流
叫花子遇到讨饭的——谁也不沾谁的光
叫花子照镜子——一副穷相
叫花子住破庙——户大家虚
叫花子坐金銮殿——一步登天
叫花子坐月子——百无一有
叫你上坡,你偏下河——成心闹别扭
叫奶奶生娃娃——强人所难
叫铁公鸡下蛋——异想天开
叫铁匠做嫁妆——用人不当
叫羊看菜园——越看越光
教堂关门——不讲道理
结巴子吵架——张口结舌
结清了的账单——一笔勾销
揭开蒸笼拣年糕——烫手
街上的传单——白给
节日摆宴席——济济一堂
节日放烟火——天花乱坠
疖子开刀——一包脓
截了大褂补裤子——取长补短
姐儿俩害想思——同病相怜

姐俩出嫁——各得其所
姐俩回娘家——殊途同归
借粉搽脸蛋——装体面
借风过湖——趁机行事
借高利贷买棺材——死要面子活受罪
借花献佛——顺水人情
借了一角还十分——分文不差
借钱还债——堵不完的窟窿
借钱买筛子——窟窿套窟窿
借他的缰绳拴他的驴——将计就计
借汤下面——沾光;顺便
借着醉酒说胡话——别有用心
戒了大烟扎吗啡——恶习不改
今日三,明日四——反复无常
金棒槌敲门——富啦
金蝉脱壳——溜啦
金刚化佛——更加神气
金刚石做钻头——无坚不摧
金刚掌钥匙——大管家
金刚钻的本领——专拣硬的克
金刚钻对合金刀——硬过硬
金刚钻划豆腐——深刻
金刚钻钻缸瓮——小能降大
金龟子掉到酱缸里——糊涂虫
金鸡配凤凰——天生的一对
金漆的马桶——外面好看里面臭
金钱豹读《圣经》——冒充斯文
金碗盛稀饭——装贱
金鱼的眼睛——突出
金针菜开花——到顶了

金铸的孩童——人才好;好人才

金铸的鞋模——好样子;样子好

金字招牌——有名无实

锦上绣花——好上加好

妗子改嫁——没救(舅)

近路不走走远路——弯弯绕

近视眼穿针——大眼瞪小眼

近视眼打靶——目的不明

近视眼看告示——迫在眉睫

近视眼看下雪——天花乱坠

近视眼看斜纹布——思(丝)路不对

近视眼配眼镜——解决眼前问题

近视眼生瞎子——一辈不如一辈

近视眼捉蚂蚱——瞎扑打

近视眼走路——光顾眼前

进了地府才后悔——来不及了

进了地府才伤心——后悔已晚

进了棺材吃人参——无补

进了套的黄鼠狼——没跑;跑不了

进网的兔子上钩的鱼——十拿九稳

进屋跳窗户——门路不对

进学堂不带书——忘本

精雕的玉人——十全十美

泾渭合流——清浊分明

经纬万端——头绪多

京戏走台步——磨磨蹭蹭

惊弓之鸟——心有余悸

惊蛰后的青竹蛇——越来越凶

荆轲刺秦王——图穷匕首见

荆轲献地图——暗藏杀机

荆条编小篮——看着容易做着难

荆条当柱子——不是正经材料

景山上的崇祯皇帝——挂起来

景德镇停业——没词(瓷)了

井底的蛤蟆——目光短浅

井底的蛤蟆上井台——大开眼界

井底下放邮包——深信

井底下划船——前途不大

井底下看书——学问不浅

井底行船——处处碰壁

井底栽黄连——苦得深

井里吹喇叭——低声下气

井底丢砖头——不懂(扑通)

井里投砒霜——害人不浅

井水不犯河水,南山不靠北山——各管各的

井水管河水——犯不着

警察打老子——公事公办

警察当扒手——执法犯法

警察蹲监狱——以身试法

镜中花,水中月——可望不可即

镜子里的烧饼——不能充饥

镜子里的鲜花——好看不好拿

镜子里的影子——空虚

镜子里夹相片——形影不离;形影相随

镜子里亲吻——自爱

镜子上抹灰——糊涂不明

敬酒不吃吃罚酒——不识抬举

揪下茄子拔了秧——连根收拾

揪着耳朵过江——操心过度(渡)

久旱得雨——喜从天降

久旱的庄稼——蔫了

九寸加一寸——得寸进尺

九个瓦盆摔山下——四分五裂

九股绳拧成死疙瘩——难解难分

九斤老太的口头禅——一代不如一代

九斤老太的眼光——光看过去的好

九牛失一毛——无关紧要

九牛一毛——微不足道

九曲桥上散步——拐弯抹角

九岁当了童养媳——活受罪

九条江河流两处——五湖四海

九月初八问重阳——不久(九)

九月的柿子——红透了

九月菊花逢细雨——点点入心

韭菜炒蒜苗——清(青)一色

酒杯掉在酒缸里——罪(醉)上加罪(醉)

酒杯里洗澡——小人

酒杯碰酒壶——恰好一对

酒鬼掉进酒池里——求之不得

酒鬼走路——东倒西歪

酒壶里吵架——胡(壶)闹

酒肉和尚菜道士——岂有此理

酒肉朋友——不久长

酒肉朋友的交情——吃吃喝喝

酒糟鼻不吃酒——枉担虚名

舅舅揍外甥——白挨

就坡骑驴——自找台阶

救火没水——干着急

救火踢倒煤油罐——火上加油

救了落水狗——反咬一口

锔碗的戴眼镜——专找碴子

举起碾盘打月亮——不知天高地厚

举手放火，收拳不认——无赖

举着棋子放不下——打不定主意

举重比赛——斤斤计较

锯子锯掉烂木头——摧枯拉朽

锯子缺齿——快不了

卷好铺盖，买定草鞋——决心出走

圈里的肥猪——等着挨刀

撅着屁股看天——有眼无珠

决了口的水渠——放任自流

绝户头得个败家子——明看不成器，丢又舍不得

军棋比赛——纸上谈兵

军事论文——纸上谈兵

骏马跑千里，银燕入云霄——远走高飞

K

卡车的拖斗——落后了

开刺绣店的——花样多

开刀不上麻药——蛮干

开饭馆的不怕大肚汉——越多越好

开封府的包青天——铁面无私

开弓的箭——永不回头

开沟挖井——步步深入

开会呼口号——异口同声

开会骂仗——不欢而散

开笼放鸟——有去无回

开滦打官司——没(煤)的事

开汽车按喇叭——靠边站

开山的镐——两头忙

开水锅里的汤圆——翻上倒下
开水锅里伸胳膊——熟手
开水泡黄豆——自我膨胀
开水泼蛤蟆——看你怎么跳
开水煮白玉——不变色
开水煮棉絮——熟套子
砍柴人下山——两头担心(薪)
砍柴忘带刀,刨地不带镐——丢三落四
砍刀遇斧头——针锋相对
砍树吃桔子——不顾根本
看病的郎中——不请不到
看《红楼梦》淌眼泪——同病相怜
看家拳头——留一手
看见麦苗叫韭菜——五谷不分
看见蚊子就拔剑——小题大作
看见岳父不搭腔——有眼不识泰山
看人下菜碟——势利眼
看《三国》掉泪——替古人担忧
看戏流眼泪——有情人
看衣裳行事——势利眼
看着地图摆阵势——纸上谈兵
看着上司的脸说话——眼高
看着天摸着地——眼高手低
看着星星想月亮——贪得无厌;贪心不足
糠里挤油——小抠
扛犁头下关东——经(耕)得多
扛鱼网进庙堂——劳(捞)神
扛着风箱串门子——给别人添气受
扛着鸡毛换肩——不知轻重
扛着救生圈过河——小心过度(渡)

扛着口袋牵着马——有福不分享

扛着鸟枪上疆场——抵挡一阵

炕洞里的耗子——灰溜溜的

炕上种西瓜——没人见过

炕上的狸猫——坐地虎

炕席上下棋——无路可走

考上秀才想当官，登上泰山想升天——欲无止镜

烤熟了的羊头——龇牙咧嘴

靠山吃山，靠水吃水——一方水土养一方人

坷垃缝里长青草——土生土长

磕完头撤供——不留神

磕一个头放三个屁——行善没有作恶多

瞌睡虫遇到枕头——正合心意

蝌蚪变青蛙——面目全非

蝌蚪的尾巴——寿命不长

可着屁股裁尿布——没宽裕

客厅里挂磨盘——不是实话（石画）

嗑瓜子嗑出个臭虫——什么人（仁）都有

啃生瓜吃生枣——消化不了

坑老人，挖祖坟——净干缺德事

空肚罗汉——没心没肝

空腹打饱嗝——假装

空棺材出殡——目（木）中无人

空酒瓶子——有口无心

空壳子麦穗——翘得高

空口说白话——无凭无据

空手走亲戚——无理（礼）

空梭子织布——枉费心机

空头支票——难兑现

空箱里取物——无中生有

空心的大树——外强中干
空心萝卜绣花袍——中看不中用
空心墙——不实在
空心汤圆——有名无实
空中打算盘——算得高
空中倒马桶——臭气熏天
空中掉馅饼——喜从天降
空中跑马——露马脚
空中伸巴掌——高手
空中悬河——滔滔不绝
空中掌灯——高明
孔方兄进庙门——钱能通神
孔夫子搬家——尽是输(书)
孔夫子拜师——不耻下问
孔夫子背书箱——里面大有文章
孔夫子唱戏——出口成章
孔夫子出门——三思而行
孔夫子穿西服——土洋结合
孔夫子打呵欠——一口书生气
孔夫子当教授——古为今用
孔夫子的弟子——四体不勤,五谷不分
孔夫子的坟——久慕(墓)
孔夫子的面孔——文绉绉
孔夫子的手帕——包输(书)
孔夫子的徒弟——闲(贤)人
孔夫子的砚台——黑了心
孔夫子的嘴巴——出口成章
孔夫子挂腰刀——文武双全
孔夫子喝卤水——明白人办糊涂事
孔夫子讲学——之乎者也

孔夫子门前卖文章——不知趣
孔夫子门前卖《孝经》——自不量力
孔夫子念文章——咬文嚼字
孔夫子游列国——尽是礼
孔明大摆空城计——化险为夷
孔明的计谋——神机妙算
孔明会李逵——有敢想的,有敢干的
孔明借东风——巧用天时
孔明赞诸葛——自夸
孔明练琴——老生常谈(弹)
孔明弹琴退仲达——沉得住气
孔明斩魏延——借刀杀人
孔雀戴凤冠——官(冠)上加官(冠)
孔雀的尾巴——翘得高
孔雀开屏——翘尾巴
孔雀说成乌鸦——好坏不分
孔雀头上绑鸡毛——一语(羽)双关(冠)
孔雀展翅——卖弄自己
孔子教《三字经》——埋没人才
孔子面前讲《论语》——忘了自个儿姓名
抠眼屎弄瞎了眼——因小失大
口吃报纸——咬文嚼字
口吃生辣椒——图嘴爽
口传家书——言而无信
口吹喇叭脚敲鼓——能者多劳
口袋布做大衣——横竖不够料
口袋空空的穷汉——一个子儿也没有
口袋里盛米汤——装糊涂
口袋里盛娃娃——装人
口袋里抓兔子——跑不了

口袋里冒烟——烧包
口袋里装钉子——个个想出头
口袋里装绣针——露了锋芒
口袋里装锥子——锋芒毕露
口干舔露水——解不了渴
口含黄连脚踏苦胆——从头苦到脚
口含乱麻团——难嚼难咽
口含盐巴拉家常——闲(咸)话多
口技表演——嘴上功夫
口渴喝卤水——自己找死
口渴喝盐水——徒劳无益
口渴遇甘泉——正合心意
口里含蜜糖,肚里藏尖刀——嘴甜心毒
口念佛经手拿刀——言行不一
口水流到肚脐上——垂涎三尺
口贴封条——装聋作哑
口吞匕首——伤透心肝
口吞秤砣——铁了心
口吞擀面杖——横了心
口吞火炭——心急如焚
口吞墨水——黑心
口吞绣花针——扎心
口吞萤火虫——心里亮;肚里明
口吞账本——心中有数
口咽黄连——心里苦
口罩戴到鼻梁上——不要脸
叩头拜把子——称兄道弟
枯井里打水——白费功夫
枯木搭桥——存心害人
枯木刻象棋子儿——老兵老将

枯树上的知了——自鸣得意
枯藤缠大树——生死相依
窟窿眼里看人——小瞧
哭了半天不知谁死了——自作多情
苦豆子煮黄连——一个更比一个苦
苦瓜攀苦藤——苦命相连
苦瓜秧缠黄连树——苦到一块了
苦瓜蒸黄连——苦闷(焖)
苦楝树下弹琴——苦中作乐
苦水里泡大的杏核儿——苦人(仁)儿
裤裆里放屁——两岔
裤裆里冒烟——当然(裆燃)
裤兜里的跳蚤——乱咬
裤兜里装五脏——窝囊废(肺)
裤腰带挂杆秤——自称自
夸嘴的奸商——没有好货
夸嘴的郎中——无好药
挎着洋鼓捧着笙——自吹自擂
会计戴眼镜——精打细算
会计拿算盘——算啦
快刀破黄鳝——一刀两断
快刀砍水——难分开
快刀切豆腐——迎刃而解
快刀斩乱麻——干脆利索
快烧尽的木炭——红火不了多时
快要倒塌的房子——危在旦夕
快嘴婆婆——有口无心
筷子顶豆腐——树(竖)不起来
筷子碰碗——常有的事
筷子上抹油——光棍

筷子跳舞——光棍一条
筐里捉鳖——十拿九稳
筐子里堆乱麻——没有头绪
狂犬吠日——少见多怪
矿工下井——头名(明)
葵花结籽——心眼不少
捆绑的夫妻——难成双

L

垃圾倒进粪池里——同流合污
垃圾堆里安雷管——乱放炮
垃圾堆里的仕女图——尽废话(画);废话(画)
拉不出屎怨茅坑——错怪
拉车拉到路边——使偏劲
拉大旗做虎皮——装面子
拉肚子吃补药——无济于事
拉二胡的练功——耍手腕
拉旱船的瞧活——朝后看
拉开窗帘——开眼界
拉来黄牛当马骑——穷凑合
拉痢吃辣椒——两头受罪
拉纤的喊号子——一股劲
拉琴的丢唱本——没谱
拉石灰车遇到倾盆雨——心急如焚
拉屎扒地瓜，捎带扑蚂蚱——一举多得
拉屎吃瓜子——入不敷出
拉屎翻眼珠——多余
拉屎啃鸡腿——亏他张得开嘴
拉屎啃猪蹄——香香臭臭
拉屎拉到裤裆上——没法提

拉屎攥拳头——使暗劲
拉完磨子杀驴——以怨报德
拉着大粪车赶庙会——走到哪臭到哪
拉着耳朵擤鼻涕——劲用得不是地方
拉着土匪叫爹——认贼作父
拉着眼睫毛也会倒——弱不禁风
拉住状元喊姐夫——想高攀
喇叭当烟囱——不对口径
喇叭断了线——不想(响)
喇叭上安鼓风机——大吹
喇嘛不服懒尼姑——谁也管不了谁
喇嘛的帽子——黄了
辣椒粉吹进鼻眼里——够呛
辣椒棵上结茄子——红得发紫
辣椒面捏关老爷——红人
瘌痢头害脚癣——两头不落一头
瘌痢头上打苍蝇——百发百中
腊八儿出生——动(冻)手动(冻)脚
腊肉上席——不用多言(盐)
腊鸭子煮锅里——身子烂了嘴还硬
腊月打赤脚——心里有火
腊月打雷——反常
腊月的井水——热乎乎
腊月底看农历——没日子啦
腊月里吃黄连——寒苦
腊月里的梅花——傲霜斗雪
腊月里扇扇子——火气太大
腊月里送蒲扇——不识时务
腊月里遇着狼——冷不防
腊月三十贴对子——一年一回

腊月三十洗衣服——今年不干明年干
腊月贴门神——一个向东,一个向西
腊月尾,正月头——不愁吃
腊月种小麦——外行
蜡人玩火——害自身
蜡烛当冰棒——油嘴光棍
蜡烛的脾气——不点不明
蜡烛的一生——照亮别人,毁了自己
蜡烛点火——一条心
来自赛马场的消息——奇(骑)闻
癞大哥坐秤盘——自称自大
癞蛤蟆变的——专吃自来食
癞狗上墙——扶不上去
癞蛤蟆剥了皮——死不瞑目
癞蛤蟆不长毛——天生这路种
癞蛤蟆吃鸡蛋——难吞难咽
癞蛤蟆吃高粱——顺杆(秆)爬
癞蛤蟆吃天——无从下口
癞蛤蟆穿铠甲——踢腾不开
癞蛤蟆吹唢呐——没人声
癞蛤蟆戴花——臭美
癞蛤蟆的脊梁——点子多
癞蛤蟆垫床脚——死撑活挨
癞蛤蟆掉粪坑——越搞越臭
癞蛤蟆跌粥锅——说他混蛋,他还一肚子气
癞蛤蟆躲端午——躲过初五,躲不过十五
癞蛤蟆鼓气——装相
癞哈蟆过江——自身难保
癞哈蟆挎大刀——邋遢兵
癞哈蟆爬脚面——恶心

癞哈蟆爬香炉——碰一鼻子灰
癞哈蟆上餐桌——扫兴
癞哈蟆拴在鳖脚上——跳不高，爬不快
癞哈蟆跳上金銮殿——登峰造极
癞哈蟆吞蒺藜——干吃哑巴亏
癞哈蟆吞鱼钩——自作自受
癞哈蟆吞月亮——痴心妄想
癞哈蟆遇田鸡——难兄难弟
癞哈蟆遭牛踩——末日来临
癞哈蟆张口——专吃自来食
癞哈蟆装鞍子——奇(骑)怪
癞哈蟆坐飞机——一步登天
癞痢头撑伞——无法(发)无天
癞痢头上的伤疤——明摆着
癞痢头上长肿瘤——突(秃)出
癞皮狗上桥——招摇撞骗
癞头婆戴玉簪——令人担惊
癞头婆生疮——丑上加丑
癞头婆月夜串门子——丑人丑事
癞子长脚板疮——上下都有毛病
栏杆上摆花盆——无地自容
栏里关的猪——蠢货
篮子里挑花——越看眼越花
篮子里装土地菩萨——提神
懒厨子办席——不想吵(炒)
懒汉不拉纤——顺水推舟
懒汉过年——一年不如一年
懒汉学徒——不拨不动
懒驴进磨道——自上圈套
懒驴上套——打一鞭走一步

懒鸟不搭窝——得过且过
懒牛懒马干活——屎尿多
懒老婆穿袜子——老一套
懒老婆的裹脚——又臭又长
懒老婆上鸡窝——笨(奔)蛋
懒老婆上轿——愿上不愿下
懒老婆的头发——不理
懒人的铺盖——不理
懒人嗑瓜子——眼饱肚饥
烂边礼帽——顶好
烂膏药贴好肉——没病找病
烂瓜皮当帽子——霉到顶了
烂筐子上拴丝穗子——不相称
烂了的番茄满街送——不是好东西
烂麻袋滤豆腐——尽是渣滓
烂麻袋装珍珠——好的在里面
烂木头刻娃娃——坏孩子
烂泥巴掉墙角——立场不稳
烂泥巴捏神像——没个好心肠
烂泥巴下窑——难成器
烂泥路上开汽车——卷土重来
烂泥路上拉车——越陷越深
烂泥坯子贴金身——胎里坏
烂泥菩萨——没安人心
烂屁股蜘蛛——没事(丝)
烂菩萨坐深山——没见过大香火
烂伞遮日——半边阴
烂扫帚上市——分文不值
烂套包黄金——内中有宝
烂透的毒疮——不可救药

烂土豆——小坏蛋
烂袜子改背心——小人得志(之)
烂网打鱼——一无所获
烂西瓜——一肚子坏水
烂药膏往别人脸上贴——存心害人
烂鱼开了膛——一副坏心肠
烂鱼扔粪堆——又腥又臭
烂猪头碰到烂肠子——臭味相投
狼不吃肉——没人信
狼吃东郭先生——恩将仇报
狼借猪崽——有借无还
狼啃葫芦头——没有人味
狼夸羊肥——不怀好意
狼群里跑出羊羔来——不可能的事
狼头上插竹笋——装样(羊)
狼头上戴斗笠——冒充好人
狼头上长角——装样(羊)
狼窝里的肉——难久留
狼窝里的羊——九死一生
狼窝养孩子——难活命
狼心狗肺——一副坏心肠
狼也跑了,羊也保了——两全其美
郎中卖棺材——死活都要钱
郎中咬牙——恨人不死
浪里撑船——看风使舵
浪头撞在礁石上——粉身碎骨
浪子回头——金不换
劳动号子——一呼百应
劳模作报告——传经送宝
痨病鬼开药店——自己图方便

老白干泡砒霜——又毒又辣

老保姆领孩子——人家的

老鳖跌跟头——翻了

老鳖吞秤砣——狠心王八

老鳖咬人——叼住不放

老大懒惰老二勤——一不做，二不休

老旦唱小生——不像样

老雕变野猫——越变越糟

老雕戴帽子——冒充鹰

老掉牙的虎——雄心在

老掉牙的驴——顾(雇)不得

老坟头上拉屎——糟踏祖先

老公打扇——凄(妻)凉

老公公吹笛子——气力不足

老公鸡披蓑衣——嘴尖毛长

老公鸡着火——官僚(冠燎)

老姑娘拜天地——去了心事

老鸹喝墨水——从外黑到心

老鸹落在猪身上——光看别人黑，不见自己黑

老鸹命——人人憎

老鸹屁股上插孔雀毛——洋相百出

老鸹站树梢——呱呱叫

老鸹爪子——黑手

老鸹钻出烟囱——从黑道上来的

老寡妇嫁到饭馆里——讲吃不讲穿

老寡妇遇见老绝户——孤的孤，苦的苦

老汉啃甘蔗——咬牙切齿

老和尚拜天地——头一回

老和尚搬家——吹灯拔蜡

老和尚撞钟——过一天算一天

老和尚的百衲衣——东拼西凑
老和尚丢了棍——能说不能行
老和尚念经——千篇一律
老和尚盼媳妇——下一辈的事
老和尚诵经——念念有词
老虎扮和尚——人面兽心
老虎背上玩把戏——胆大心细
老虎背十字架——冒充耶稣
老虎剥了皮——威风扫地
老虎吃鼻烟——胡吹一气
老虎吃豆腐——口素心不善
老虎吃蚂蚁——不够塞牙缝
老虎吃蜻蜓——不过瘾
老虎吃算盘珠——心中有数
老虎吃跳蚤——供不应求
老虎吃兔子——一口吞
老虎吃羊羔——不吐骨头
老虎出山遇见豹——一个更比一个凶
老虎打摆子——窝里战
老虎打瞌睡——机会难得
老虎逮耗子——有劲使不上
老虎戴佛珠——假慈悲
老虎戴脚镣——欲凶无力
老虎戴上假面具——人面兽心
老虎的屁股——摸不得;拍不得
老虎肚里取心肝——胆子不小
老虎和猪生的——又笨又恶
老虎驾辕——没人敢(赶)
老虎借猪狗借骨——有借无还
老虎进棺材——吓死人

老虎进山洞——顾前不顾后

老虎进闸门——死路一条

老虎近身——开口是祸

老虎夸海口——大嘴说大话

老虎离山落平原——抖不起威风

老虎咧嘴笑——阴险歹毒

老虎念经——口是心非

老虎爬树——不懂那一套

老虎披蓑衣——没个人模样

老虎皮，兔子胆——外强里虚

老虎屁股上抓痒痒——自取其祸

老虎上吊——没人敢救

老虎上磅秤——自称威风

老虎添翼——好威风

老虎舔胸脯——吃人心肝

老虎头蛇尾巴——有始无终

老虎头上拉屎——好大的胆子

老虎头上撒胡椒——大胆泼辣

老虎推磨——不吃这一套

老虎尾巴绑扫帚——威风扫地

老虎卧在马圈里——马马虎虎

老虎爪子蝎子心——又狠又毒

老虎追得猫上树——多亏留了一手

老虎嘴里讨食——好大胆

老虎坐庙堂——想充神仙

老槐树枯了心——外强中干

老皇历——翻不得

老将出马——一个顶俩

老将耍镰刀——少见（剑）

老舅舅拉破二胡——陈词滥调

老寇准背靴子——明察暗访

老来得子——大喜

老狼做生意——没有好货

老两口吵架——公说公有理，婆说婆有理

老两口埋在一个坟里——死活一对

老两口赏月——平分秋色

老猎手打野兽——百发百中

老柳树发新芽——回春

老龙王投江——死得其所

老驴啃本《三字经》——咬文嚼字

老妈妈补衣裳——见缝插针

老妈子带孩子——人家的

老妈子伺候人——内行

老猫犯罪狗戴枷——无辜受罪

老猫捉耗子——一物降一物

老猫上锅台——熟路；道熟

老猫上树——紧抓挠

老煤油桶——点火就着

老绵羊撵狼——拼老命

老磨盘——无耻(齿)

老母鸡斗黄鼠狼——不是对手

老母鸡撵兔子——冒充鹰

老母鸡下蛋——脸红脖子粗

老母鸡啄瘪谷——空喜一切

老母猪摆擂台——丑八怪逞能

老母猪剥皮——露骨

老母猪蹭痒痒——东倒西歪

老母猪吃醪糟——酒足饭饱

老母猪吃破鞋——心里有底

老母猪吃铁饼——好硬的嘴

老母猪打架——全凭一张嘴
老母猪打喷嚏——笨嘴拙舌
老母猪戴金耳环——冒富
老母猪拱地——嘴硬
老母猪逛花园——眼花缭乱
老母猪和牛打架——豁出老脸来了
老母猪进夹道——进退两难
老母猪进粮仓——贪吃贪喝
老母猪啃猪圈——嘴巴痒了
老母猪敲门——哪里来的蠢货
老母猪尿窝——自作自受
老母猪下棋——瞧你那笨脑瓜
老母猪下崽——就这一堆
老母猪遇屠夫——挨刀的货
老木匠的家什——要啥有啥
老奶奶的嫁衣——老古董
老奶奶吃软柿子——正好
老尼姑瞧嫁妆——没指望
老尼姑想儿子——下一辈子的事
老牛吃草——吞吞吐吐
老牛出工——让人牵着鼻子走
老牛大憋气——不吭声
老牛掉进深泥潭——不能自拔
老牛掉眼泪——有口难言
老牛反刍——吞吞吐吐
老牛筋——难啃
老牛啃地瓜——不抬头
老牛拉碾——原地打转
老牛拉破车——慢慢腾腾
老牛拉稀屎——接连不断

老牛拉座钟——又稳又准
老牛拴在树桩上——没跑
老牛头进汤锅——难熬
老牛陷进淤泥里——拔不出蹄
老牛走老路——照旧
老朋友相会——一见如故
老婆婆吃腊肉——扯皮
老婆婆当兵——充数
老婆婆的破包袱——窝囊一辈子
老婆婆的牙——连根拔
老婆婆吊颈——活得不耐烦
老婆婆翻跟头——一蹶不振
老婆婆嫁屠夫——光图吃
老婆婆纳鞋底——磨磨蹭蹭
老婆婆赛跑——精神可佳
老婆婆烧香——一片诚心
老婆婆跳皮筋——非同儿戏
老婆子看嫁妆——下一辈子的事
老人家拜年——一年不如一年
老山猫咧嘴——笑面虎
老山羊的犄角——歪歪扭扭
老艄公撑船——看风使舵
老少爷们过马路——扶老携幼
老寿星的脑袋——宝贝疙瘩
老寿星的坐骑——四不像
老寿星还童——面目全非
老寿星骑仙鹤——没路(鹿)
老鼠挨一百棒——面不改色
老鼠搬金——没用处
老鼠鼻子——大不了

老鼠吃高粱——顺杆(秆)爬
老鼠吃海水——无足轻重
老鼠吃了三斗六——恶贯满盈
老鼠打架——小抓挠
老鼠掉进面缸里——翻白眼
老鼠掉进铁筒里——无缝可钻
老鼠跌到米桶里——求之不得
老鼠跌进米囤里——因祸得福
老鼠跌烟囱——死路一条
老鼠逗猫——没事找事
老鼠给大象指路——越走越窄
老鼠给猫祝寿——送货上门
老鼠跟猫睡觉——练胆子
老鼠攻墙——家贼难防
老鼠过街——人人喊打
老鼠嫁花猫——吓破了胆
老鼠进洞——拐弯抹角
老鼠进棺材——咬死人
老鼠进炕洞——憋气又窝火
老鼠进碗柜——满嘴词(瓷)
老鼠看仓——越看越光
老鼠看天——小见识
老鼠嗑瓜子——嘴巧
老鼠啃擀面杖——白费牙
老鼠啃皮球——客(嗑)气
老鼠啃账簿——吃老本
老鼠拉秤砣——野心勃勃;野心太大
老鼠拉木锨——大头在后面
老鼠拉王八——找不到头
老鼠闹洞房——唧唧喳喳

老鼠爬旗杆——到顶了
老鼠跑到磨眼里——走不通
老鼠跑进食盒里——抓住理(礼)了
老鼠碰到火烧山——无处藏身
老鼠骑水牛——小能降大
老鼠娶妻遇老猫——悲喜交加
老鼠上了老鼠夹——死到临头
老鼠睡在米坛里——不愁吃
老鼠算卦——做贼心虚
老鼠抬轿子——担当不起
老鼠偷秤砣——倒贴(盗铁)
老鼠偷芝麻——吃香
老鼠拖西瓜——连滚带爬
老鼠拖油瓶——好的在里面
老鼠挖墙洞——越掏越空
老鼠尾巴害疖子——脓水不大
老鼠尾巴上绑鸡毛——不是好鸟
老鼠尾巴生疮——小毛病
老鼠窝里叫爸爸——认贼作父
老鼠咬象鼻——不识大体
老鼠钻风箱——两头受气
老鼠钻进染缸里——贪色不怕死
老鼠钻书箱——吃老本;咬文嚼字
老鼠钻象鼻——一物降一物
老鼠坐供桌——想充神仙
老鼠做寿——小打小闹
老水牛拉马车——不合套
老丝瓜瓤子——空虚
老太婆搽胭脂——不知自丑
老太婆吃炒面——闷了口

老太婆吃黄连——苦口婆心
老太婆吃猪蹄——横扯筋
老太婆的裹脚布——臭不可闻
老太婆的嘴——唠唠叨叨
老太婆改嫁——事出有因
老太婆过年——一年不如一年
老太婆啃窝头——细嚼慢咽
老太婆纳鞋底——千真(针)万真(针)
老太婆上台阶——步步登高
老太婆喂公鸡——不简单(拣蛋)
老太婆住高楼——上下两难
老太太搬家——什么都拿
老太太包脚——乱缠
老太太吃炒蚕豆——咬牙切齿
老太太吃海蜇——搬嘴弄舌
老太太吃排骨——啃不动
老太太吃汤圆——囫囵吞
老太太吃桃子——专拣软的捏
老太太吃硬饼——慢慢磨
老太太打呵欠——一望无涯(牙)
老太太荡秋千——不要命
老太太的拐棍——专扶人
老太太的脚趾头——委屈一辈子
老太太的鞋——前紧后松
老太太的嘴——吃软不吃硬
老太太过溜冰场——走险
老太太啃骨头——软磨硬顶
老太太啃鸡爪——难嚼难咽
老太太摸电门——抖起来了
老太太念佛——从头学起

老太太扭秧歌——笨手笨脚

老太太上鸡窝——笨(奔)蛋

老太太上讲台——笨嘴拙舌

老太太上台阶——一步步来

老太太烧香——诚心诚意

老太太算账——码码清

老太太洗萝卜——一个个来

老太太闲扯——七嘴八舌

老太太想生子——没指望

老太太学钢琴——手忙脚乱

老太太站岗——立场不稳

老太太走独木桥——难过

老太太坐电梯——一步到顶

老太太坐飞机——一步登天

老太太坐月子——怪事一桩

老藤爬树——缠住不放

老天爷不下雨,当家的不说理——无可奈何

老天爷拄拐杖——一杆子插到底

老头儿的拐棍——早晚得扔

老头儿发脾气——吹胡子瞪眼

老头儿痰喘——憋得难受

老头学打拳——硬骨头

老头摇铃铛——玩心不退

老头子联欢——非同儿戏

老头子坐摇篮——装孙子(装蒜)

老头子做棺材——寿限快到了

老王掉进酒缸里——成了罪(醉)人

老王卖瓜——自卖自夸

老翁吹喇叭——精神可佳

老相识见面鞠一躬——有礼

老熊爬杆——上不去
老鸦背上插花翎——自以为美
老鸦唱山歌——不入调
老鸭公想唱戏——喉咙不争气
老洋芋充天麻——公开作假
老爷家里当差的——低三下四
老爷庙求子——走错了门
老爷坐马桶——赃(脏)官
老鹰叼黄牛——贪欲太大
老鹰叼蛇——十拿九稳
老鹰放屁——想(响)得高
老鹰捕鸡毛掸——一场空
老鹰捕食——见机(鸡)行事
老鹰抓小鸡——轻拿
老鹰追兔子——一个天上,一个地下
老玉米里搀白面——粗中有细
老蜘蛛的内脏——满肚子私(丝)
老蜘蛛跑腿——办私(丝)事
老子纳妾儿嫖娼——一窝不正经
老子纳妾儿姘居——上梁不正下梁歪
老子偷蛋儿偷鸡——一辈更比一辈坏
老子坐班房,儿子挨夹杠——受人牵连
勒紧裤带过日子——岁月难熬
勒紧腰带数日月——难过
雷打芝麻——专拣小的欺
雷公打架——闹得天翻地覆
雷公动怒——惊天动地
雷公躲进土地庙——天知地知
雷公喝酒——胡批(劈)
雷公劈城隍——以上压下

雷婆找龙王谈心——天涯海角觅知音

雷声大，雨点小——有名无实

雷雨天下冰雹——一落千丈

擂鼓奏唢呐——吹吹打打

冷锅贴饼子——溜啦

冷库里的五脏——心肠硬

冷水浇头——凉了半截

冷水齐腰——凉了半截

冷水沏茶——泡着吧

冷水烫鸡——一毛不拔

冷天戴手套——保守(手)

冷天喝滚汤——热心

离地的火箭——飞黄腾达

离了水晶宫的龙——寸步难行

离群的羊羔——孤孤单单

离枝的鲜花——活不久

犁地淹死牛——伤(墒)透了

黎明的觉，半道的妻，羊肉饺子清炖鸡——难得的好处

狸猫换太子——以假冒真

狸猫披虎皮——假威风

理发店关门——没头了

理发店收徒弟——从头来；从头学起

理发匠登金榜——行行出状元

理发师绱鞋底——从头包到脚

理字卖给阎王爷——不讲道理

鲤鱼戴斗笠——愚(鱼)人

鲤鱼碰网——自取灭亡

鲤鱼剖腹——开心

鲤鱼跳龙门——高升了

鲤鱼下油锅——死不瞑目

李逵穿针——粗中有细
李逵断案——强者有理
李逵裹脚——难缠
李逵开铁匠铺——人强货硬
李逵抡板斧——以势压人
李逵骂宋江，过后赔不是——负荆请罪
李逵卖煤炭——黑上加黑
李逵升堂判案——乱打一通
李逵绣花——力不从心
李林甫当宰相——口蜜腹剑
李时珍看病——妙手回春
李世民登基——顺应民心
李世民捏窝窝头——御驾亲征（蒸）
利刀石上磨——精益求精
利剑斩乱麻——一刀两断
立春响雷——一鸣惊人
俩狗打架——以牙还牙
俩和尚打架——谁也抓不到谁的辫子
俩肩膀抬一个脑袋——无牵无挂
俩蚂蚁拔河——没劲儿
俩牛抵角——豁着脑袋干
俩牛相斗——又顶又撞
俩山羊抵角——对头
俩狮子打架——不是你死，就是我亡
俩小鬼作仇——死对头
俩哑巴见面——没说的
俩哑巴睡一头——无话可说
廉颇背荆条——请罪
镰刀对斧头——硬碰硬
镰刀割韭菜——不死心

镰刀卡在喉咙里——吞不下，吐不出
莲梗打人——思（丝）尽情断
莲花并蒂开——恰好一对
莲花池里下饺子——异想天开
莲蓬结籽——心连心
莲藕炒粉条——无孔不入
莲藕吹风——似通非通
莲藕生疮——坏心眼
脸丑怪镜歪——强词夺理
脸蛋贴膏药——眼前就是毛病
脸皮蒙手鼓——厚脸皮
脸谱大全——面面俱到
脸上含笑，脚下使绊子——暗里伤人
脸上糊锅底灰——不认人
脸上贴膏药——面子上不好看
脸上贴狗毛——好歹不分
脸上写字——表面文章
练兵场上的靶子——众矢之的
练武术的不拿刀枪——赤手空拳
良心都是肉长的——彼此一样
凉水泡豌豆——冷处理
梁山伯看到祝英台——一见钟情
梁山伯与祝英台——生死相依
梁山的军师——无（吴）用
梁山的兄弟——不打不相识
梁山泊的王伦——不能容人
梁山泊的吴用——足智多谋
梁上吊死人——上不着天，下不着地
梁头上吊王八——四脚无靠
两把号吹成一个调——想（响）到一块了

两代寡妇——没功(公)夫
两分钱的韭菜——一小撮
两分钱开店铺——穷张罗
两分钱一个猪头——脸面不值钱
两分钱买一篮子菜——不是好货
两个巴掌打人——左右开弓
两个鼻子眼出气——息息相关
两个槌敲一面锣——想(响)到一块了
两个肩膀扛嘴——走到哪里吃到哪里
两个叫花子拜堂——穷凑合
两个泥菩萨过河——谁也救不了谁
两个人打排球——互相推脱(托)
两个人奏笙——你吹我捧
两个瞎子划拳——虚张声势
两个兄弟吵分家——各顾各
两个秀才当文书——字字推敲
两个哑巴吵架——难断是非
两个哑巴亲嘴——好得没法说
两股道上的车——各走各的路
两股脏水汇一起——同流合污
两虎相斗——必有一伤
两口子拜堂——欢天喜地
两口子不称心——将就着过
两口子吵嘴——难断是非
两口子唱戏——一唱一和
两口子锄地——不顾(雇)别人
两口子床上奏喇叭——对着吹
两口子打官司——一言难尽
两口子打架——不劝自了
两口子的账——算不清

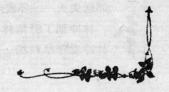

两口子对着吹喇叭——斗气
两口子分家——各人顾各人
两口子赶集——志同道合
两口子台上扮夫妻——真真假假
两口子推磨——同心协力
两匹马并排跑——并驾齐驱
两人同穿一条裤子——不分彼此
两手拍屁股——光打光
两手捧寿桃——有礼
两手托刺猬——碰到棘手事
两手攥着仨大钱——一是一，二是二
两条腿的板凳——坐不稳
两样布做夹袄——表里不一
两张麻纸画个驴头——好大脸皮
两只脚塞进一只靴子——寸步难行
两只手写对联——双管齐下
两只眼盯着一个小钱——见钱眼开
《聊斋》上的文章——鬼话连篇
料槽旁的马——不愁吃
撂下拐杖作揖——老交情
咧着嘴吃话梅——看你那个酸相
列车上放广播——道听途说
烈日炎炎照雪山——开了动（冻）
烈士陵园的碑文——记生记死
猎狗的鼻子——灵得很
猎犬撵兔子——跟踪追击
劣马装麒麟——露马脚
邻居失火——不救自危
林冲到了野猪林——绝处逢生
林冲看守草料场——英雄无用武之地

林冲买宝刀——中了诡计
林冲上梁山——逼出来的
林黛玉的身子——弱不禁风
林黛玉的眼睛——泪汪汪
林黛玉进贾府——谨小慎微
林黛玉葬花——自叹命薄
淋了雨的老绵羊——无精打采
淋了雨的熟石榴——合不拢嘴
临渴掘井——来不及
临拉屎挖茅坑——手忙脚乱
临老当和尚——半路出家
临老得了摇头病——身不由己
临上轿才缠脚——临时忙
临上轿扎耳朵眼儿——来不及
临上轿找不到绣花鞋——心里急
临时抱佛脚——晚了
临死挨了一巴掌——死不要脸
临死才忏悔——迟了；晚了
临死打呵欠——白张嘴
临死还吃黄连——命苦
临刑唱大曲——视死如归
临阵磨枪——晚了；迟了
吝啬鬼串亲戚——两手空
吝啬鬼天天拾金子还嫌少——贪得无厌；贪心不足
铃铛掉了舌头——没想(响)头了
菱角碰粽子——奸(尖)对奸(尖)
灵堂上唱大戏——有哭有笑
岭头上对歌——唱高调
另搭台子另唱戏——从头来
另起炉灶——各顾各

留种黄瓜——挂起来

流浪汉坐远洋轮——四海为家

流水帐簿做袍子——浑身是债

硫磺脑袋——点火就着

琉璃瓦盖鸡窝——大材小用

琉璃瓦盖寺庙——顶好

刘备编草鞋——内行

刘备当皇叔——时来运转

刘备的江山——哭出来的

刘备对孔明——言听计从

刘备借荆州——有借无还

刘备困曹营——提心吊胆

刘备三顾茅庐——尽找明白人

刘备三请诸葛亮——诚心实意

刘备上了黄鹤楼——胆战心惊

刘备摔阿斗——收买人心

刘备遇孔明——如鱼得水

刘备遇诸葛——无话不说

刘伯温的八卦——神机妙算

刘禅乐不思蜀——忘本

刘关张拜把子——生死之交

刘胡兰钻铡刀——宁死不屈

刘姥姥进大观园——看花了眼

刘姥姥坐席——洋相百出

柳树抽芽——自发

柳树的屁股——坐下就扎根

柳树雕的娃娃——木头人

柳树开花——无结果

柳树上落凤凰——早晚要飞

柳条穿泥鳅——一路货

柳条篮子打水——一场空
柳条篮子摇元宵——滚蛋
碌碡里装钢轴——铁石心肠
碌碡碰碌碡——实(石)打实(石)
碌碡上拴镜子——照常(场)
六点钟的分时针——顶天立地
六个指头擦背——加一奉承
六个指头给人抓痒——格外巴结
六个指头划拳——出了新招
六个指头抓痒——多一道子
六十岁尿床——老毛病
六十岁学吹鼓手——赶时髦
六月的斑鸠——不知春秋
六月的扇子——家家有;不离手
六月的天——说变就变
六月的瘟猪——死不开口
六月的云,少女的心——变化多端
六月间做棉袄——早作准备
六月里吃薄荷——凉透心
六月里吃生姜——热乎乎
六月里冻死羊——说来话长
六月天戴手套——保守(手)
六月天晒裂了瓦——坏胚(坯)子
六月天身发抖——不寒而栗
六月贴春联——还差半年
六月蒸年糕——还差半年
六指头拨琵琶——乱弹琴
六指头挖鼻孔——光出岔子
龙背上刮鳞——痴心妄想
龙灯的胡须——没人理

龙灯的脑袋——任人摆布
龙宫里造反——慌了神
龙袍当蓑衣——白糟踏
龙王吹喇叭——好神气
龙王发脾气——翻江倒海
龙王管土地——管得宽
龙王靠边——人定胜天
龙王爷出海——兴风作浪
龙王爷打哈欠——好神气
龙王爷打盹——百姓遭难
龙王爷的帮手——虾兵蟹将
龙王爷的后代——龙子龙孙
龙王爷翻脸——要变天
龙王爷放火——改行
龙王爷露凶相——张牙舞爪
龙王爷面前挑水——敢想敢干
龙王爷招亲——水里来，水里去
龙王爷作法——呼风唤雨
龙王长了个偏心眼——旱涝不均
龙王揍河神——自家人打自家人
龙嘴上拔胡须——自己找死
笼里边抓窝窝头——手到擒来
笼中鸟，网中鱼——身不由己
笼中兽，网中鱼——命难逃
笼子里的鹦鹉——多嘴多舌
笼子里关蚂蚁——来去自由
笼子里过日子——睁眼净窟窿
聋哑人打官司——说不清，听不明
聋子拜客——不闻不问
聋子不怕雷——耐惊耐怕

聋子参加赛歌会——形式主义
聋子打鼓——充耳不闻
聋子戴耳机——听而不闻
聋子见哑巴——不闻不问
聋子拉胡琴——胡扯
聋子擂鼓，瞎子敲锣——各打各的
聋子面前夸海口——废话
聋子听戏——白费功夫
聋子听戏，瞎子观灯——一无所获
聋子瞎了眼——闭目塞听
搂草打兔子——捎带活
搂着金条睡觉——守财奴
楼顶上的警报器——事出有因（音）
楼上摆盆景——无地自容
楼下客满——后来居上
漏斗盛水网兜风——一无所获
漏壶里灌水——永不满足
芦沟桥的石狮子——数不清
芦花抽穗——不结果
芦花做棉被——不是正胎子
芦苇墙上钉钉子——不牢靠
芦苇塞竹筒——空对空
鲁班的儿子学木匠——一代传一代；门里出身
鲁班的锯子——不错（锉）
鲁班的手艺——巧夺天工
鲁班门前卖手艺——忘了自个姓名
鲁班门前弄大斧——自己献丑
鲁班手里调大斧——得心应手
鲁班皱眉头——别具匠心
鲁达当和尚——半路出家

鲁肃服孔明——五体投地
鲁提辖拳打镇关西——打抱不平
鲁智深出家——无牵无挂
鲁智深倒拔垂杨柳——好大的力气
卤水点豆腐——一物降一物
辘轳断了轴——玩不转
路边的茇茇草——看不上眼
路边的小草——任人践踏；由人踩
路边捡私生子——非亲非故
路边上的狗屎——不值一文（闻）
路灯照明——公道
路见不平，拔刀相助——打抱不平
鹭鸶飞过养鱼池——眼饱肚中饥
鹭鸶脚上挂蚂蚱——飞不了你，跑不了它
露水泡茶——得之不易；难得；解不了渴
驴粪蛋上插花——臭美
驴粪蛋上滚白糖——内里坏
驴粪蛋下霜——表面光
驴粪蛋子捏菩萨——胎里坏
驴嚼豌豆——嘴上功夫
驴拉磨转圈圈——没尽头
驴脸比母猪头——丑对丑；一对丑
驴皮煮胶——慢慢熬
驴屁股上的苍蝇——乱哄
驴踢琵琶——乱弹琴
驴头不叫驴头——长脸
驴头马面——一路货
驴头伸进奶桶里——白吃
驴尾巴吊棒槌——累赘
驴子打滚——四脚朝天

驴子赶到磨道里——不转也得转
驴子拉磨牛耕田——各干一行
驴子听相声——茫然不懂
驴子生只象——怪胎
吕布拜董卓——认贼作父
吕布戏貂蝉——英雄难过美人关
吕洞宾打摆子——占先(颤仙)
吕洞宾讲故事——神话
吕蒙正的帽子——穷胎
吕蒙正盖房子——造谣(窑)
吕蒙正栽跟头——穷疯啦
屡教不改的扒手——贼心不死
旅馆里租被子——另搞一套
旅客上火车——各就各位
绿绸衫上绣牡丹——锦上添花
绿头苍蝇——乱闯乱碰
绿头苍蝇下蛆——专找缝子钻
绿头苍蝇坐月子——抱屈(蛆)
乱坟岗上唱戏——闹鬼
乱坟岗上卖布——鬼扯
乱葬坟里放鞭炮——吓鬼
乱葬坟上跳舞——鬼迷心窍
轮船开往亚非拉——四通八达
轮船靠码头——稳而不动
轮船上观海——无边无沿
轮船上泼水——随波逐流
轮船上装橹——摆设
轮胎打气——有进无出
轮胎上的气门心——里外受气
罗锅跌跟头——两头不着实

罗锅趴铁轨——死了也值(直)
罗锅腰上山——钱(前)缺
罗锅腰上树——钱(前)缺
罗锅作揖——举手之劳
罗汉的肚腹——假大空
罗汉请观音——客少主人多
萝卜当棒槌——不识货
萝卜地里栽韭菜——各人心里爱
萝卜长叉——多心
箩筐盛石灰——处处留迹
骡和驴打架——不认亲
骡子不生儿——理所当然
骡子的脸儿——非驴非马
骡子驮重不驮轻——生得贱
裸体穿皮袄——凉了半截
洛阳的牡丹——人人欢喜
骆驼挨鞭子——忍辱负重
骆驼安鼻子——装相(象)
骆驼吃豆芽儿——小菜一碟
骆驼打架——歇够了再干
骆驼的脖子,鸵鸟的脚——各有所长
骆驼观天——眼向上看
骆驼过独木桥——步步有险
骆驼放屁——想(响)得高
骆驼撒欢——没个正经样
骆驼生驴子——怪胎
骆驼推磨——大手大脚
骆驼走路——昂首阔步
骆驼钻针眼——异想天开
落成的雕像——定型了

落蒂的香瓜——熟透了
落花流水——有去无回
落花满地红——多谢
落了三年黄梅雨——绝情(晴)
落井下石——坑害人
落雨躲进山神庙——轮(淋)不着
落雨立当院——轮(淋)到头上
落雨天出彩云——假情(晴)
落雨天担禾草——担子越来越重

M

抹布擦腚——不利索
抹布盖牛背——露头角
麻布手巾绣牡丹——不配
麻布鞋上镶绸子——不成体统
麻袋厂遭火灾——烧包
麻袋盛牛角——个个想出头
麻袋换草袋——一代(袋)不如一代(袋)
麻袋里的菱角——冒尖
麻袋里装麦秸——草包
麻袋里装猪——不知黑白
麻袋绣花——底子差
麻袋做龙袍——不是这块料
麻疯病人长恶疮——毒上加毒
麻秆搭桥——难过
麻秆手杖——靠不住
麻秆子刻人——不是正经材料
麻秆做床腿——难撑
麻秆做屋梁——无用之材
麻姑娘搽雪花膏——观点模糊

麻花下酒——干脆
麻秸抵门——经不起推敲
麻秸做笛子——吹不得
麻面姑娘爱搽粉，瘌痢姑娘爱戴花——臭美
麻婆照镜子——个人观点
麻雀搬家——唧唧喳喳
麻雀飞大海——没着落
麻雀吵架——唧唧喳喳
麻雀吃不下二两谷——肚量小
麻雀吃天鹅肉——痴心妄想
麻雀搭窝——各顾各
麻雀当家——七嘴八舌
麻雀的肚腹——小心眼；心眼狭小
麻雀的内脏——小心肝
麻雀叼石磙——嘴上功夫
麻雀掉到洞庭湖里——不着边际
麻雀掉到面缸里——糊嘴
麻雀斗公鸡——自不量力
麻雀肚子鸡蛋眼——吃不多，看不远
麻雀剁了身子——光剩嘴
麻雀屙鸡蛋——怪事一桩
麻雀屙屎——稀稀拉拉
麻雀屙屎大过箩——讲大话
麻雀跟着蝙蝠飞——白熬夜
麻雀喝醉酒——腾云驾雾
麻雀和鹰斗嘴——拿性命开玩笑
麻雀嫁女——小打小闹
麻雀开会——细商量
麻雀落在房梁上——架子不小
麻雀跳到泥沟里——没有出路

麻雀头包饺子——尽是嘴
麻雀窝里落喜鹊——早晚要飞
麻雀洗澡——团团转
麻雀想学凤凰飞——枉费心机
麻雀炸窝——阵脚大乱
麻雀追飞机——白费功夫
麻雀啄鸡蛋——捣蛋
麻雀走路——一蹦三跳
麻雀钻到烟囱里——命难逃
麻雀嘴里的粮——靠不住;不可靠
麻绳穿绣花针——通不过
麻绳穿针——钻不进
麻绳打毛衣——乱联系
麻绳吊鸡蛋——两头脱空
麻绳蘸盐水——越来越紧
麻媳妇拜见歪嘴婆——丑对丑
麻线搓绳——合在一起干
麻线上扯电灯——路线错了
麻丫头照镜子——点子不少
麻油炒豆腐——不惜代价
麻子打灯笼——观点鲜明
麻子掉枯井——坑人不浅
麻子管事——点子多
麻子敲门——坑到家了
麻子跳伞——天花乱坠
麻子推磨——转着弯儿坑人
马背上的剧团——载歌载舞
马背上钉掌——离题(蹄)太远
马背上按电话——奇(骑)闻
马鞭打牛——忘本

马脖子上挂铜铃——走到哪，响到哪
马脖子上的铜铃——响当当
马不停蹄，鞭不停挥——老赶
马槽边上的苍蝇——混饭吃
马槽里伸出个驴头——多嘴多舌
马车滚进泥水沟——拉不转
马车过沼泽地——此路不通
马打架用嘴碰——不顾脸面
马刀底下跳神——乐得不顾命
马到悬崖不收缰——死路一条
马镫子钉掌——空前绝后
马放南山，刀枪入库——天下太平
马粪球，羊屎蛋——外光里不光
马蜂的儿子——歹（带）毒
马蜂的屁股——碰不得
马蜂叮屁股——痛不可言
马蜂窝——捅不得
马蜂窝，蝎子窝——一窝更比一窝毒
马蜂蜇秃子——头痛；没遮没盖
马蜂蜇蝎子——以毒攻毒
马蜂针，蝎子尾——惹不起
马褂改裤衩儿——大材小用
马褂改棉袄——老一套
马驹子拉磨——不顺手
马圈里的骡子——听喝的
马嚼子吊起当锣敲——穷得叮当响
马拉车尥蹶子——乱了套
马拉车牛驾辕——不合套
马拉独轮车——说翻就翻
马拉汽车——新鲜事

马脸比猪头——当面出丑;一个比一个丑
马列主义装到电筒里——照见别人,照不见自己
马笼头给牛戴——生搬硬套
马笼头套在牛嘴上——胡勒
马路不拐弯——正直公道
马路旁的电杆——靠边站
马路上安电灯——光明大道
马路上的传单——白给
马路上开车不拐弯——走得正,行得直
马路上跑火车——不合辙
马路上说马路——公道
马路新闻——道听途说
马屁股上的苍蝇行千里——借别人的力
马屁股上挂蒲扇——拍马屁
马屁精拍了马腿——倒挨一脚
马群里的骆驼——突出
马上要杂技——艺高胆大
马勺里淘菜——水泄不通
马勺里淘米——滴水不漏
马勺掏耳朵——不深入;深不下去
马食槽不许驴插嘴——独吞
马食槽边点盏灯——照料
马谡用兵——言过其实
马蹄长瘤子——无关痛痒
马跳水浪——奔波
马铁掌踩石板——硬碰硬
马桶倒进臭水沟——同流合污
马桶改水桶——臭味还在
马桶盖上钻眼儿——放臭气
马桶里倒香水——香臭不分

马桶拼棺材——臭了半辈子还装人
马桶上插花——只图表面好看
马桶做锅盖——不是正经材料
马脱缰绳鸟出笼——永不回头
马王爷——不管驴事
马尾绷琵琶——不值一谈(弹)
马尾穿豆腐——提不起来
马尾穿萝卜——粗中有细
马尾搓绳——不合股
马尾拉胡琴——细声细气
马尾拴鸡蛋——难缠
马尾拴饺子——露馅
马戏团的猴子——由人玩耍
马戏团的小丑——走过场
马长犄角骡下驹——怪事一桩
马抓痒——全凭一张嘴
马捉老鼠——不务正业
马走日字象走田——各有各的路
码头上的吊车——能上能下
码子前面添零——不算数
蚂蟥变的——软骨头
蚂蟥吃萤火虫——心里亮;肚里明
蚂蟥叮住鹭鸶脚——生死同飞
蚂蟥叮住水牛腿——寸步不离
蚂蟥过水——没痕迹
蚂蟥趴在牛尾上——甩不掉
蚂蟥钻进牛鼻孔——难解脱
蚂蚁搬家——拖拖拉拉
蚂蚁搬石磨——自不量力
蚂蚁打哈欠——好大口气

蚂蚁打群架——自相残杀
蚂蚁打食——三五成群
蚂蚁戴谷壳——好大的脸皮
蚂蚁挡道——翻不了车
蚂蚁的腿，蜜蜂的嘴——一天忙到晚
蚂蚁抖腿——小踢蹬
蚂蚁肚里摘苦胆——难办
蚂蚁回窝——走老路
蚂蚁扛螳螂——重任在肩
蚂蚁啃象鼻——不识大体
蚂蚁啃骨头——精神可佳
蚂蚁拉火车——纹丝不动
蚂蚁拉石磙——力不能及
蚂蚁爬到针尖上——到顶了
蚂蚁爬皮球——无边无沿
蚂蚁爬扫帚——条条是路
蚂蚁爬树——七上八下
蚂蚁噙豌豆——滚蛋
蚂蚁尿书本——识(湿)字不多
蚂蚁上枯树——顺杆爬
蚂蚁身上砍一刀——浑身是伤
蚂蚁身上长疖子——浑身是病
蚂蚁生疮——小毛病
蚂蚁说成大象——言过其实
蚂蚁抬虫子——齐心合力
蚂蚁抬食——步调一致
蚂蚁抬土——一窝蜂
蚂蚁头上砍一刀——没有血肉
蚂蚁窝里爬出个土鳖子——庞然大物
蚂蚁下碾槽——罪该万死

蚂蚁撼大树——自不量力
蚂蚁咬了脚趾甲——无关痛痒
蚂蚁缘槐夸大国——小见识
骂了皇帝骂祖先——不忠不孝
骂人挖祖坟——欺人太甚
蚂蚱背秤砣——吃不住劲
蚂蚱打喷嚏——满嘴庄稼味
蚂蚱戴笼头——假充大牲口
蚂蚱斗公鸡——白送死
蚂蚱飞到药罐里——自讨苦吃
蚂蚱看庄稼——越看越光
蚂蚱口水——少有
蚂蚱爬在鞭梢上——经不起摔打
蚂蚱配蝗虫——门当户对
蚂蚱跳龙门——想头不低
蚂蚱跳塘——不知深浅
蚂蚱头摆碟子——尽是嘴
蚂蚱头包饺子——光剩嘴
蚂蚱头炒盘菜——多嘴多舌
蚂蚱腿上刮精肉——无法下手
埋好的地雷——一触即发
买把韭菜不择——抖起来了
买个喇叭不透气——实心眼
买了便宜柴,烧了夹生饭——想占便宜反吃亏
买帽子当鞋穿——不对头
买面的进了石灰店——找错了门
买石头砸锅——自寻倒灶
买头瘦驴老掉牙——自骑自夸
买鱼放生——菩萨心肠
买只羊羔不吃草——毛病不少

买猪头钓王八——不够本钱
买猪头讨个胆——自讨苦吃
麦场上挂马灯——照常(场)
麦秆吹火——小气
麦秆当秤称人——把人看轻了
麦秆儿当秤——没斤没两
麦秆里睡觉——细人
麦秆子顶石磙——头重脚轻
麦秸堆里装炸药——乱放炮
麦秸装枕头——草包
麦糠擦屁股——自找麻烦
麦糠搓绳——接不上茬
麦克风前吹喇叭——里外响
麦粒掉到太平洋里——沧海一粟
麦芒戳到眼睛里——又刺又痛
麦田里的狗尾草——良莠不齐
麦田捉鳖——十拿九稳
麦子未熟秧未插——青黄不接
卖鞭炮的炸了手——自作自受
卖冰棒的进茶馆——一冷一热
卖不出去的狐狸皮——骚货
卖布不用尺——胡扯
卖菜的上了香椿树——又高又贵
卖豆芽的不带秤——乱抓
卖房卖地置嫁妆——不尽本钱
卖瓜的夸瓜甜,卖鱼的夸鱼鲜——自卖自夸
卖棺材的跺脚——恨人不死
卖棺材的听说病危——暗喜;暗喜欢
卖孩子唱大戏——庆的什么功
卖花圈的咬牙——恨人不死

卖煎饼的说梦话——贪（摊）得多
卖糨糊的敲门——糊涂到家
卖饺子的磨麦粉——别开生面
卖裤子打酒喝——顾嘴不顾身
卖老婆捐知县——官迷心窍
卖了裤子买镯子——穷打扮
卖了麦子买蒸笼——不蒸馒头争（蒸）口气
卖了生姜买蒜吃——换换口味
卖绿豆搀珍珠——不上算；不合算
卖萝卜的跟着盐担子走——尽操闲（咸）心
卖馒头的搀石灰——面不改色
卖帽子的喊卖鞋——头上一句，脚下一句
卖米不带升——存心不良（量）
卖面具的被人抢了——丢脸
卖面具的被偷——大丢脸面
卖牛卖地娶回个哑巴——没话可说
卖肉的切豆腐——不在话下
卖沙锅的摔跤——砸啦
卖烧鸡拉二胡——游（油）手好闲（弦）
卖石灰的碰见卖面的——谁也见不得谁
卖水的看大河——全是钱
卖糖人的出身——靠吹
卖瓦盆的进货——一套一套的
卖碗又卖盆——一套一套的
卖西瓜的碰到卖王八的——滚的滚，爬的爬
卖虾米不拿秤——抓瞎（虾）
卖香囊掉泪——睹物伤情
卖盐逢雨——背时
卖盐逢雨，卖面遇风——不顺当
卖艺的练拳脚——连踢带打

卖油的梆子——挨敲的货
卖油的不打盐——不管闲(咸)事
馒头做枕头——不愁吃
鳗鱼死在汤罐里——冤屈(圆曲)死了
满地丢西瓜,撅腚拣芝麻——不知轻重
满街挂灯笼——光明大道
满口镶金牙——嘴里漂亮
满面枣疙瘩——脸上尴尬
满山跑的兔子不回窝——野惯了
满堂儿孙——后继有人
满天大雪飞舞——天花乱坠
满天飞乌鸦——漆黑一片
满头稻花子——土里土气
满园落地花——多谢
满月儿听霹雳——惊得骨头碎
满嘴跑舌头——爱说啥说啥
满嘴塞黄连——说不出的苦
满嘴镶金牙——开黄腔
忙中拾得一包针——谁顾得数你
盲人打灯笼——照见别人,照不见自己
盲人剥黄麻——瞎扯皮
盲人射箭——目的不明
盲人粘符——倒贴
盲人不闭眼——睁眼瞎
盲人不问路——瞎碰;瞎撞
盲人剥葱——瞎扯皮
盲人打靶——缺乏目标
盲人当警察——瞎指挥
盲人的拐棍——瞎指点
盲人的眼珠子——目中无人

盲人斗拳——瞎打一阵
盲人读书——瞎摸
盲人翻跟头——瞎折腾
盲人纺纱——瞎扯
盲人放枪——无的放矢
盲人赶庙会——瞎凑热闹
盲人干活——不分日夜
盲人观灯——睁眼瞎
盲人给盲人带路——瞎扯
盲人救火——瞎扑打
盲人看滑稽戏——瞎笑
盲人看三国——装模作样
盲人看天——漆黑一团
盲人拉二胡——瞎扯
盲人拉风箱——瞎鼓捣
盲人聊天——瞎话
盲人描图——瞎话(画)
盲人摸象——不识大体
盲人骑毛驴——随它去
盲人骑瞎马——乱闯乱碰
盲人敲鼓——瞎打一阵
盲人耍把势——瞎逞能
盲人撕布——瞎扯
盲人算命——瞎说
盲人提喇叭——瞎吹
盲人听相声——瞎笑
盲人推磨——瞎转圈
盲人捂耳朵——闭目塞听
盲人熄灯——瞎吹
盲人写生——瞎话(画)

盲人粘字画——倒贴
盲人找失物——瞎摸
盲人捉虱子——瞎抓挠
盲人走路——摸不清东西南北
盲人坐镇——瞎指挥
盲驴下河——瞎扑腾
盲驴拉磨——瞎转圈
蟒蛇缠犁头——狡猾(绞铧)
蟒蛇进鸡窝——完蛋
猫不吃咸鱼——假正经
猫吃狗屎——不对味
猫吃鸡肠子——越拉越长
猫逮老鼠鼠打洞——各有本领
猫额上画王字——虎头虎脑
猫儿不吃腥——假斯文
猫儿洞口等老鼠——目不转睛
猫儿念经——冒充善人
猫儿食,耗子眼——吃不多,看不远
猫儿偷食狗挨打——无辜受累
猫儿洗脸——一扫光
猫儿抓心——难受
猫给老鼠吊孝——假仁假义
猫狗打架——世代冤家
猫教老虎——留一手
猫看老鼠——死对头
猫啃尾巴——自吃自
猫哭老鼠——假慈悲
猫爬屋脊——到顶了
猫披虎皮——抖威风
猫舔狗鼻子——自讨没趣

猫头鹰报喜——丑名(鸣)在外
猫头鹰打瞌睡——睁只眼,闭只眼
猫头鹰叫唤——名(鸣)声不好
猫头鹰上天——好高骛远
猫尾巴,狗尾巴——越摸越翘
猫咬刺猬——无从下口
猫爪伸到鱼池里——想捞一把
猫捉老鼠——拿手好戏
猫捉老鼠狗看门——各尽其责
猫嘴里的老鼠——没跑
猫嘴里塞鲤鱼——投其所好
猫嘴里掏泥鳅——夺人所好
毛笔掉了头——光棍一条
毛玻璃眼镜——看不清
毛玻璃做灯罩——半明半不明
毛豆烧豆腐——碰上自家人
毛猴子拉车——乱了套
毛猴子捞月亮——白忙一场
毛猴子说话——不知轻重
毛脚鸡——上不了席
毛辣虫——惹不起
毛驴备银鞍——不配
毛驴钉马掌——小题(蹄)大作
毛驴跟马赛跑——老落后;落后了
毛驴啃石磨——嘴巴好厉害
毛驴上套——不屙就尿
毛驴下骡子——变种
毛驴笑人耳朵长——不知自丑
毛驴养儿——不知贵贱
毛驴拉磨——兜圈子

毛毛虫弓腰——以曲求伸
毛笋脱壳——节节高
毛袜套毡袜——不分彼此
毛丫头——啥事不懂
毛竹扁担挑泰山——担当不起
茅草秆打狗——软弱无力
茅草里杀出个李逵——措手不及
茅草棚里摆沙发——配不上
茅草窝里的毒蛇——暗伤人
茅厕板子做牌位——不是正经材料
茅厕里安电扇——臭吹
茅厕里打电筒——找死(屎)
茅厕里打瞌睡——离死(屎)不远
茅厕里桂花开——香香臭臭
茅厕里铺地毯——臭讲究
茅厕里失火——臭气熏天
茅厕里修便道——死(屎)路一条
茅厕门口挂板子——牌子臭
茅厕上贴对子——文不对题
茅房顶上开门——臭名在外
茅房顶上竖大旗——臭名照著
茅房顶上装烟囱——臭气熏天
茅房里作揖——臭奉承
茅房里的旧马桶——嘴滑肚臭
茅房里磕头——臭讲究
茅房里念《四书》——臭讲究
茅房题诗——臭秀才
茅房里响喇叭——臭吹
茅缸里泡豆芽——腌臜菜
茅坑板做广告——牌子臭

茅坑边上摔跤——离死（屎）不远
茅坑里的搅屎棍——文（闻）不能文（闻），武（舞）不能武（舞）
茅坑里的蛆——无孔不入
茅坑里的石头——又臭又硬
茅坑里丢炸弹——激起公愤（粪）
茅坑里搁暖壶——臭水平（瓶）
茅坑里捡铜板——臭钱
茅坑里泼醋——又酸又臭
茅坑里洒香水——多此一举
茅屋扎绣球——配不上
帽沿儿做鞋垫——一贬到底
帽子掉地都不拣——懒到家了
帽子里藏知了——头名（鸣）
帽子里搁砖头——头重脚轻
帽子里进蜜蜂——心神不宁
帽子没沿——顶好
帽子抛空中——欢喜若狂
帽子上面戴斗笠——官（冠）上加官（冠）
帽子涂蜡——滑头滑脑
眉毛吊磨盘——有眼力
眉毛胡子都生疮——全是毛病
眉毛胡子一把抓——不分主次
眉毛上安灯泡——明眼人
眉毛上插花——有眼色
眉毛上搭梯子——放不下脸
眉毛上荡秋千——太悬乎
眉毛上吊笤帚——臊（扫）脸
眉毛上吊针——刺眼
眉毛上挂灯——心明眼亮
眉毛上挂炮仗——急在眼前

眉毛上挂猪胆——苦在眼前
眉毛上失火——眼红;红眼
眉毛上长牡丹——花了眼
梅香(泛指婢女)拜把子——全是奴才
梅香照镜子——一副奴才相
梅雨下了三百六十天——反常
霉烂了的莲藕——坏心眼
媒婆夸闺女——光拣好的说
媒婆子的嘴——能说会道
媒婆子嘴长疮——不好开口
媒人跟着食盒——有礼
煤厂移垛——倒霉(煤)
煤粉子捏菩萨——黑心肝
煤灰搽脸——自己给自己抹黑
煤灰刷墙壁——一抹黑
煤火台上烤饺子——烧包
煤块当汉白玉——颠倒黑白
煤铺的掌柜——赚黑钱
煤球搬家——倒霉(煤)
煤球店里搭戏台——一唱三叹(炭)
煤窑里放瓦斯——害人不浅
没把的茶壶——光剩嘴
没把的葫芦——抓不住
没病抓药——自讨苦吃
没剥壳的板栗——不进油盐
没等开口三巴掌——不由分说
没底的棺材——成(盛)不了人
没底的筲桶——直来直去;直进直出;直出直入
没读《四书》上考场——听天由命
没干的生漆——难近身

没骨子的伞——支撑不开
没框的算盘珠——散了
没笼头的牲口——野惯了
没路标的三岔口——左右为难
没买马先置鞍——弄颠倒了
没娘的孩子——无家可归
没钱花拍桌子——穷横
没切开的西瓜——红白不分
没事嗑瓜子——吞吞吐吐
没事找枷板——自找罪受
没事钻烟囱——触一鼻子灰
没睡打呼噜——装迷糊
没头的苍蝇——瞎起哄
没头的蚂蚱——瞎蹦跶
没头发却要辫子税——无辜受累
没牙老婆吃胡豆——软磨硬顶
没牙老婆吃面筋——拉拉扯扯
没牙老婆喝热粥——无耻（齿）吹棒
没牙老婆嚼牛筋——白磨嘴皮
没眼的笛子——吹不响
没眼儿判官——瞎鬼
没眼儿猪叫——瞎哼哼
没眼判官进赌场——瞎鬼混
没有缝的鸡蛋——无懈可击
没有笼头的马驹子——不定性
没有目标乱射箭——无的放矢
没有上套的磨道驴——空转一遭
没有砣的秤——不知轻重
没张雨布的伞骨——空架子
没长脚后跟——站不住

没长屁股——坐不稳

没准星的炮——乱轰

没嘴的葫芦——不好开口

没罪找枷戴——自寻烦恼

美髯公哈气——自我吹嘘(须)

媚眼做给瞎眼婆——自作多情

门背后的扫帚——专拣脏活干

门背后挂死人——提心吊胆

门缝里夹鸡子儿——完蛋

门缝里看大街——眼光狭窄

门旮旯里伸拳头——暗里使劲

门角安电扇——背地里扇

门角里藏着诸葛亮——暗中盘算

门角里晾衣裳——阴干

门角里耍拳——摆不开架势

门角里睡觉——光棍

门角里轧核桃——崩了

门槛上搁粪叉——蹩脚

门槛上拉屎——里外臭

门槛上面切藕——藕断丝连

门口喜鹊叫——红运将至

门里放鞭炮——名(鸣)声在外

门里金刚——自高自大

门上的封条——扯不得

门上贴春联——一对红

门头沟的财主——摇(窑)头

门头沟打官司——没(煤)的事

门头沟的骆驼——倒霉(煤)

闷心人做事——使暗劲

蒙面人出场——不留脸面

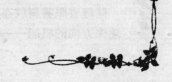

蒙上眼睛架电线——瞎扯

蒙上眼睛拉磨——瞎转悠

蒙上眼睛卖豆芽——瞎抓

蒙在被子里放屁——自作自受

蒙在鼓里听打雷——摸不清东西南北

蒙着脸找媳妇——不知丑俊

蒙着脑袋走棋子——轻举妄动

蒙住眼睛走路——不走正道

猛张飞舞刀——杀气腾腾

猛张飞遇到黑李逵——见面就崩

蒙古包里唱大戏——施展不开

梦里吃仙桃——差天远

梦里戴凤冠——尽想好事

梦里吊颈——想死

梦里喝酒——嘴馋

梦里结婚——好事不成

梦里娶媳妇——高兴一时是一时

梦里失火喊救命——虚惊一场

梦里拾钞票——财迷

梦里坐飞机——想头不低

梦里做皇上——快活不多久

梦中聚餐——嘴馋

梦中吞象——野心太大

梦中游太空——想入非非(飞飞)

梦中捉贼——枉费心机

孟良杀焦赞——自家人害自家人

孟良甩葫芦——散伙(火)

孟母三迁——望子成龙

眯缝着眼看斜纹布——思(丝)路不对

迷失方向的帆船——随波逐流

迷途的羔羊——无家可归
迷途望见北斗星——绝处逢生
弥勒佛吹螺号——一团和气
弥勒佛的脸蛋——笑眯眯
你勒佛管山门——自得其乐
弥勒佛偷供品——面善心不善
弥勒佛推碾子——杜撰(肚转)
弥勒头上筑鹊窝——喜上加喜
米仓里的老鼠——不愁吃
米尺量太阳——光芒万丈
米醋做冰棍——寒酸
米箩里跳到糠箩里——越来越糟
米筛子打水——一场空
米筛子当玩具——耍心眼
米筛子挡太阳——遮盖不住
米筛子筛豆子——格格不入
米少饭焦——难上加难
米汤炒莲藕——糊了眼
米汤锅里煮寿桃——混蛋出尖了
米汤浇身——糊涂人
米汤泡稀饭——亲(情)上加亲(清)
米汤盆里洗脸——糊糊涂涂
米汤洗脚;糍子搽脸——糊涂一生
米汤洗头——糊涂到顶了
米汤煮芋头——糊里糊涂
密网捕鱼——连窝端
蜜蜂的眼睛——突出
蜜蜂叮在玻璃窗——看到光明无出路
蜜蜂酿蜜——为别人操劳
蜜罐子嘴——说得甜

蜜饯黄连——同甘共苦
蜜饯石头子儿——好吃难消化
蜜里调油——又甜又香
蜜糖罐子打醋——不知酸甜
蜜糖抹在鼻尖上——看得到,吃不着
蜜糖嘴巴刀子心——阴毒
绵羊的尾巴——翘不起来
绵羊结伙——三三两两
绵羊进狼窝——自投罗网
绵羊跑到驴群里——充大个的
棉袄改被子——两头够不着
棉袄换皮袄——越变越好
棉花槌打驴——无关痛痒
棉花地里长辣椒——红人
棉花店打烊——不谈(弹)了
棉花店失火——烧包
棉花堆里藏铁砣——不知轻重
棉花堆里藏珍珠——内中有宝
棉花堆里裹刺——锋芒不露
棉花堆里整人——软收拾
棉花堆上散步——不踏实
棉花耳朵——耳朵软
棉花裹秤砣——柔中有刚
棉花卷打锣——没有音
棉花里搀柳絮——弄虚作假
棉花人救火——自身难保
棉花湿了水——不谈(弹)了
棉花套纺线——难办
棉花絮敲空缸——不声不响;无声无息
棉花做秤砣——没多少斤两

棉裤没有腿——凉了半截
棉里藏针——软中有硬
面粉搀石灰——密不可分
面粉掉在肉锅里——混(荤)蛋
面疙瘩补锅——抵挡一阵
面筋粘知了——没跑
面具店里失盗——丢脸
面孔上抹糨糊——板了脸
面口袋改套袖——宽备窄用
面汤锅里洗澡——糊涂人
面汤里煮灯泡——说他混蛋，他还一肚子邪火
面条点灯——犯(饭)不着
面条锅里下笊篱——想捞一把
面子当鞋底——好厚的脸皮
庙背后看神——妙(庙)透了
庙后叩头——心到神知
庙会上的西洋镜——名堂多
庙里的佛像——稳而不动
庙里的佛爷——脸上贴金
庙里的鼓——人人打得
庙里的观音——站得住脚
庙里的和尚撞钟——名(鸣)声在外
庙里的木鱼——天生挨揍
庙里的泥马——惊不了
庙里的菩萨——笑容可掬
庙里的牌位——摆设
庙里的泔桶——人人咬(舀)
庙里的猪头——各有其主
庙里丢菩萨——失神
庙里赶菩萨——神出鬼没

庙里旗杆冒烟——烧高香
庙门前的旗杆——正直
庙门前的石狮子——一对儿
庙门上筛灰——糟踏神像
庙台上摆擂台——伤神
庙台上拉屎——懒鬼
庙台上长草——慌(荒)了神
庙堂里失盗——神不知鬼不觉
庙堂里算命——疑神疑鬼
庙小菩萨大——盛不下
乜斜眼打麻将——观点不正
灭灯念鼓词——瞎说
灭火踢倒油罐子——火上浇油
灭烛看家书——公私分明
名牌货便宜卖——物美价廉
名牌牙刷——一毛不拔
名医开处方——对症下药
明鼓对明锣——明打明
摸不着把柄，抓不到辫子——无根无据
摸到好牌不吱声——暗喜
摸到泥鳅当鳝鱼——不知长短
摸黑儿打耗子——处处碰壁
摸石头过河——摸索着干
摸着光头逗乐——耍滑头
摸着胸口拿钥匙——寻开心
摸着阎王爷的脚趾——死到临头
摩天楼上说天书——高谈阔论
磨刀师傅打铁——看不出火候来
磨刀水洗头——脑筋生锈
磨剪刀的说梦话——快了

磨快了的锥子——尖锐
魔鬼找妖怪——坏到一块了
魔术师变戏法——无中生有
魔术师的本领——弄虚作假
魔术师的道具——尽是秘密
魔术师的帕子——无中生有
魔术师放烟幕弹——遮人眼目
魔术师演戏——变化多端
模范找英雄——一对红
抹黑脸照镜子——自找难看
抹上唾沫当眼泪——假慈善
墨斗弹出两条线——思(丝)路不对
墨斗鱼的肚子——黑心肝
墨鱼肚肠河豚肝——又黑又毒
墨汁煮元宵——漆黑一团
陌路相逢——非亲非故
陌路相逢谈恋爱——一见钟情
磨道的驴子——听喝的
磨道放屁——臭一圈
磨道里的驴——跑不了
磨道里等驴——没跑;跑不了
磨道里找蹄印——步步有点
磨道里走路——没尽头
磨扇里的窟窿——有眼无珠
磨上喝醉酒——晕头转向
磨眼里的蚂蚁——路子多
磨眼里推稀饭——装糊涂
磨子上睡觉——转了向
母鸡带小鸡——寸步不离
母鸡掉在米箩里——求之不得

母鸡跌米缸——饱餐一顿
母鸡丢蛋出告示——小题大作
母鸡孵小鸭——多管闲事
母鸡上树——不是好鸟
母鸡生疮——毛病
母鸡头上皇冠大——笑话
母鸡下蛋——各顾各(咯咕咯)
母老虎,地头蛇——惹不起
母老虎骂街——没人敢惹
母猫吃小崽——自残骨肉
母亲爱孩子——诚心实意
母夜叉撒泼——惹不起
母猪吵架——笨嘴拙舌
母猪的尾巴——拖泥带水
母猪耳朵——软骨头
母猪怀狗崽——怪胎
母猪撵兽医——自讨苦吃
母猪嫌米糠——反常
木棒插进炭篓子——倒霉(捣煤)
木耳烧豆腐——黑白分明
木杆子撑排——一通到底
木匠挨板子——自作自受
木匠刨木料——有尺寸
木匠打墨线——绷直(绷)
木匠打铁——不在行
木匠戴枷板——自作自受
木匠的斧子——一面砍
木匠的斧子口——摸不得
木匠的锯子——嘴巴子尖
木匠的眼睛——差不离儿

木匠的折尺——能曲能伸
木匠吊线——睁只眼，闭只眼
木匠丢了折尺——没有分寸
木匠拉大锯——拉拉扯扯
木匠师傅吵嘴——争长论短
木匠收家什——不干了
木匠手里夺斧子——砸人饭碗
木匠推刨子——抱（刨）不平
木框里的算盘珠子——由人摆布
木棉开花——越老越红
木脑壳唱戏——装模作样
木脑壳流眼泪——假仁假义
木脑壳跳舞——幕后操纵
木偶不叫不偶——傀儡
木偶的服装——另搞一套
木偶登场——故作姿态
木偶吊孝——无动于衷
木偶进当铺——拿你不当人
木偶谈恋爱——呆头呆脑
木偶生疮——不痛不痒
木偶跳得欢——靠的牵线人
木偶跳塘——不成（沉）
木偶跳舞——身不由己
木偶下海——摸不着底
木偶做戏——受人牵连
木排过险滩——顺流而下
木器店里的棺材——目（木）中无人
木桶淘米——水泄不通
木头耳朵——说不通
木头脑袋——四六不懂

木头人救火——自身难保
木头人锯树——忘本
木头人长疮——不痛不痒
木头人坐轿子——不识抬举
木头上钉钉子——个个有钻劲
木头上生疖子——无关紧要
木头楔子——光会钻空子
木头眼镜——看不透
木头支歪墙——硬顶
木鱼改梆子——将就材料
木鱼命——一辈子挨打
木鱼张嘴——等着挨敲
穆桂英出征——马到成功
穆桂英打杨宗保——严守军令
牧人不刮胡子——溜(留)须拍马

N

拿别人的屁股来做脸——不害臊;不知臊
拿别人拳头打狮子——充硬手
拿别人的孩子打赌——不心痛
拿钞票揩屁股——胡作非为
拿大顶看世界——一切颠倒
拿刀子逗小孩——不是玩艺儿
拿根麦芒当棒槌——小题大作
拿狗屎当麻花——香臭不分
拿锅盖戴头上——乱扣帽子
拿鸡毛当令箭——小题大作
拿金条塞墙缝——大材小用
拿空心草看人——小瞧
拿癞蛤蟆哄孩子——不是东西

拿了秤杆忘秤砣——不知轻重
拿芦秆当顶梁柱——难撑
拿脑袋撞墙——碰得头破血流
拿尿盆当帽子——走到哪臭到哪
拿尿盆往头上扣——自找没趣
拿破仑上台——野心勃勃
拿舌头磨刀——吃亏是自己
拿头去碰刀——自己找死
拿头押宝——不要命
拿乌龟壳当脑瓜子剃——昏了头
拿鞋当帽子——上下不分
拿着棒槌当萝卜——不识货
拿着棒槌当针纫——一点心眼也没有
拿着车票进戏院子——对不上号
拿着蜂房变戏法——耍心眼
拿着棍子叫狗——越叫越远
拿着孩子当熊耍——愚弄人
拿着鸡蛋走冰路——小心翼翼
拿着柳条当棒槌——不识货
拿着门扇当窗户——门户不对
拿着碾盘打月亮——不知轻重
拿着蒲扇生炉子——扇风点火
拿着青砖当玉石——不懂装懂
拿着手镯敲铜锣——一手拿金,一手抓银
拿着铁锹当锅使——穷极了
拿着钥匙满街跑——有职无权
拿针眼当烟筒——小气
拿锥子杀猪——一个师傅一个传授
哪山唱哪歌——到哪说哪
纳鞋底不拴线结——前功尽弃

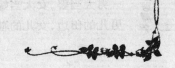

纳鞋底的货——不是好料
奶奶的鞋子——老样子
奶娃娃张口——光等吃
奈何不得冬瓜，只把茄子磨——欺软怕硬
南北大道——不成东西
南风天石头出汗——回潮了
南瓜炒鸡蛋——一样的货色
南瓜地里栽地瓜——扯来扯去
南瓜秧攀葫芦——纠缠不清
南瓜叶揩屁股——两面不落好
南郭先生吹竽——滥竽充数
南极到北极——相差十万八千里
南极寿星，太上老君——各有千秋
南极仙翁的脑袋——宝贝疙瘩
南来北往——不是东西
南来的燕，北来的风——挡不住
南泥湾开荒——自给自足
南山的豹，北海的蛟——凶的凶，狠的狠
南山的毛竹——节节空
南山滚石头——实(石)打实(石)
南天门踩高跷——高高在上
南天门挂灯笼——四方有名(明)
南天门敲鼓——远近闻名(鸣)
南天门上搭戏台——唱高调
南天门上放哨——警惕性高
南天门上演说——高调
南天门上长大树——顶天立地
南辕北辙——越走越远；背道而驰
男大当娶，女大当嫁——由不得人
男儿的田边，女儿的鞋边——好看

囊里盛锥——冒尖

脑袋藏在裤裆里——闷死了

脑袋成了葫芦——头昏脑胀

脑袋掉了不过碗口大的疤——视死如归

脑袋顶上推小车——走投(头)无路

脑袋瓜不够二两重——漂浮

脑袋长秃疮——不是好剃的头

脑袋系在风车上——找死

脑袋上的蚂蚁——头头是道

脑袋上放钥匙——开头难

脑袋上冒烟——火气上头

脑袋上生疮——坏到顶了

脑袋上套袜子——脸面上下不来

脑袋上长角——出格;大难临头

脑袋伸出屋顶——讲天话

脑袋往茅坑里扎——自甘堕落

脑袋陷进泥塘里——糊涂到顶了

脑浆子撒地——一塌糊涂

脑壳捣大蒜——扎扎实实

脑壳上安风扇——大出风头

脑壳上搽猪油——滑头

脑壳上顶娃娃——抬举人

脑壳上顶西瓜——滑头对滑头

脑灵盖上流脓——坏到顶了

脑门上戴眼镜——眼高

脑门上放鞭炮——大难临头

脑门上挂灯笼——惟我高明

脑门上抹黄连——苦到头了

脑门上抹糨糊——糊涂到顶了

脑门上贴邮票——走人了

脑门上长蒺藜——刺儿头
脑门上长瘤子——突出
脑门上长眼睛——眼朝上
脑门生疖子——额外负担
闹钟打哈哈——自鸣得意
嫩竹扁担——挑不起重担
嫩竹扁担挑起大箩筐——后生可畏
嫩竹扁担挑瓦罐——担风险
嫩竹拱土——冒尖
能干他娘半夜哭——能干死啦
能字添四点——熊样
尼姑的脚——难缠
尼姑的木梳——多余
尼姑嫁人——打破常规
尼姑瞧嫁妆——白欢喜
尼姑头上插花——无法(发)
尼姑下山——心野了
尼姑养儿子——岂有此理
泥匠砌砖——后来居上
泥地上跑马——一步一个脚印
泥佛劝土佛——同病相怜
泥匠送礼——拿不出手
泥马过河——自身难保
泥捏的佛像——没安人心
泥捏的勇士——上不了阵势
泥牛入海——无消息
泥菩萨摆渡——难过
泥菩萨打架——散了
泥菩萨的肚腹——实心实肠
泥菩萨掉冰窖——愣(冷)神

泥菩萨镀金——表面一层

泥菩萨过河——自身难保

泥菩萨怀孕——肚里有鬼

泥菩萨救火——无动于衷

泥菩萨抹香粉——装相

泥菩萨洗脸——越洗越难看

泥菩萨洗澡——软作一堆

泥菩萨遭雷打——粉身碎骨

泥菩萨坐公堂——死官僚

泥鳅比黄鳝——差一截子

泥鳅过鱼网——无孔不入

泥鳅喝了石灰水——死硬

泥鳅黄鳝交朋友——滑头对滑头

泥鳅上水——争先恐后

泥鳅跳龙门——痴心妄想

泥鳅想翻船——不自量力

泥球换眼睛——有眼无珠

泥人戴纸帽——经不起风雨

泥人的脸——面如土色

泥人掉在河里——没个人模样

泥人入海——有去无回

泥人相杀——散掉了

泥人遇木偶——面面相觑

泥水匠无灰——专(砖)等

泥水塘里洗萝卜——拖泥带水

泥塑匠进庙不叩头——谁不知道谁

泥娃娃的脑袋——七窍不通

泥娃娃跳黄河——洗不清

泥瓦匠干活——拖泥带水

泥瓦匠砌墙——两面三刀

你吃鸡鸭肉，我啃窝窝头——各人享各人福
你吹喇叭我吹号——各吹各的调
你给我个初一，我给你个十五——互不相让
你卖门神我卖鬼——一个行当
你有秤杆我有砣——配得起你
你走你的阳关道，我走我的独木桥——互不相干
溺死鬼找替代——拉人落水
逆风逆水行舟——顶风顶浪
逆水驾木筏子——不进则退
逆水里行船——力争上游
逆水行舟——不进则退
逆子拗妻——无药可治
蔫肚蚊子——要叮人
鲇鱼打喷嚏——自我吹嘘(须)
鲇鱼的胡须——没人理；稀少
鲇鱼找鲇鱼，王八找王八——物以类聚
年过花甲不成材——枉活了大半辈子
年过花甲得贵子——老来喜
年画上的春牛——离(犁)不得
年画上的鱼——中看不中吃
年近古稀嗅觉低——老鼻子啦
年轻娃娃扛碌碡——正在劲头上
年三十逼债——催命鬼
年三十的案板——不得空
年三十晒衣裳——今年不干明年干
年三十讨口——丢人现眼
年三十讨蒸糕——丢人
年三十夜拨算盘——满打满算
年三十夜的年糕——人有我有
碾盘上打盹——想转了

碾盘压碾子——实(石)打实(石)
碾砣掉水塘——不服(浮)
碾砣子雕神像——实(石)心眼
撵狗进巷——必有一伤
念九九表——说话算数
念完经打和尚——恩将仇报
娘儿俩嫁人——各有一喜
娘家门的人——格外亲
娘娘庙里求子——有求必应
娘胎里带来的——改不了
娘胎里长胡子——未老先衰
鸟出巢,兽出窝——必有所为
鸟过拉弓——错过时机
鸟笼里拉弓——小架式
鸟枪打兔子——睁只眼,闭只眼
鸟枪换炮——越来越好
尿壶盛酒——不是正经东西
尿壶漏底——下流
尿壶镶金边——臭讲究
尿盆里炒鸡蛋——不对味
尿盆里起雾——臊气
尿盆里洒香水——臊气还在
尿盆里栽牡丹——底子臭
捏鼻子吹螺号——忍气吞声
捏起鼻子喝水——一声不响
捏着鼻尖做梦——不成
捏着鼻子过日子——不知香臭
捏着一分钱能攥出汗来——会过日子
捏着眼皮擤鼻涕——劲用得不是地方
牛背上翻跟头——有点硬功夫

牛鼻绳落人手——身不由己

牛鼻子插大葱——装相(象)

牛鼻子穿环——让人牵着鼻子走

牛鞭敬神——神也得罪了,人也得罪了

牛踩乌龟背——心里痛

牛吃苞米秸——天生的粗料

牛吃草来狗吃屎——各有各的福

牛吃赶车人——无法无天

牛吃荆条——胡编

牛吃卷心菜——各有所爱

牛吃破草帽——肚子坏圈圈

牛吃桑叶——结不成啥茧

牛吃笋子——胸有成竹

牛搭拉皮——多余

牛犊子捕家雀——心灵身子笨

牛犊子拉犁耙——不打不走

牛犊子扑蝴蝶——看着容易做着难

牛犊子撒娇——又顶又撞

牛犊子上套——挨鞭子的日子到了

牛犊子学耕田——上了圈套

牛犊子学拉犁——让人牵着鼻子走

牛犊子长角——碰不得

牛粪上插花——底子臭

牛耕田,马吃谷——一个受累,一个享福

牛骨头煮胶——难熬

牛角安在驴头上——四不像

牛角对菱角——一对奸(尖)

牛角挂稻草——轻巧

牛角里的蛀虫——嘴巴好厉害

牛拉碌碡——打圆场

牛拉马车——各有一套

牛拉碾子——上了圈套

牛栏里关个大花猫——空空洞洞;空洞

牛郎会织女——喜相逢

牛郎配织女——天生的一对

牛郎约织女——后会有期

牛郎织女二人转——夫唱妇随

牛郎织女哭梁祝——同命相怜

牛毛上解锯——刻薄

牛毛羊毛和驴毛——全是痞(皮)子出身

牛魔王的兵——千奇百怪

牛奶拌墨汁——混淆黑白

牛皮灯笼——照里不照外

牛皮灯笼点蜡——有火发不出

牛皮饭碗——打不破

牛皮鼓,青铜锣——不打不响

牛皮鼓湿水——不响

牛皮糊窗户——不透风

牛皮蒙鼓——等着挨敲

牛皮纸糊的鼓——不堪一击

牛皮纸上雕花——刻薄

牛牵鼻子马抓鬃——抓住了关键

牛群回村寨——前呼后拥

牛舌头舔尾巴——够不着

牛身上拔根毛——无伤大体

牛身上的毛——数不清

牛踏臭冬瓜——浑身冒坏水

牛套马——累死俩

牛蹄子两瓣——合不拢

牛头不对马嘴——胡拉乱扯

牛王爷不管驴的事——各管各的

牛尾打牛身——不痛不痒

牛羊的肚腹——草包

牛长鳞，马长角——没人见过

扭着脖子想问题——尽是歪道理

农夫救蛇——好心不得好报

农人说谷，屠夫说猪——干一行爱一行

弄把戏的作揖——没咒念

弄着煤灰当粉搽——自找难看

奴才见主子——唯唯诺诺

怒目金刚——样子凶

女大十八变——越变越好看

女驸马招亲——不明真相

女孩子打架——抓小辫子

女人扎鞋底——千真（针）万真（针）

女娃娃缝尿布——虑事太宽

女婿认不得丈人——有眼不识泰山

女妖痛打唐僧——精打光

暖房里的菜畦——四季长青

暖壶瓶里装星图——胆大包天

暖酒不喝喝卤水——自己找死

暖瓶里装冰棍——没话（化）

暖水瓶的塞子——赌（堵）气

暖水瓶里装开水——外冷里热

糯米面包饺子——一捏就成

糯米团滚芝麻——多少沾点

O

藕炒豆芽——内外勾结

藕断丝不断——离不得；离不开

藕眼里的泥——洗不净

沤烂的花生——不是好人(仁)

P

趴在磨上睡觉——想转了

趴在屋顶上瞧人——把人看矮了

爬到屋梁上拉屎——臭架子

爬上马背想飞天——好高骛远

爬上山顶打铜锣——站得高,想(响)得远

爬上山顶纳凉——尽走上风

爬上屋脊的螃蟹——横行到顶了

扒手遇见贼打劫——见财分一半

怕死的碰见送葬的——倒霉透了

拍马屁的拍上了大腿——错上加错

拍马屁拍到马嘴上——倒咬一口

拍马屁拍到蹄子上——倒挨一脚

拍一下肩膀屁股痛——浑身是病

拍照片不上卷——没影子

排球比赛——推来推去

迫击炮打斑鸠——大材小用

潘金莲熬药——暗中放毒

潘金莲的裹脚布——肮脏货

潘金莲的信条——宁在花下死,做鬼也风流

潘金莲给武松敬酒——别有用心

潘金莲上庵堂——假正经

潘金莲偷汉子——本性难移

潘仁美挂帅——奸臣当道

潘仁美会严嵩——一对奸臣

盘古的斧头——开天劈地

盘古王耍板斧——老当益壮

盘古王要拨郎鼓——老天真

盘山公路——尽绕圈子

盘山公路上开车——弯弯绕

判官错点生死簿——糊涂鬼

判官的肚腹——鬼心肠

判官的女儿——鬼丫头

判官跌跤——冒失鬼

判官拍照——鬼样子;鬼相

判官敲门——催命鬼

判官娶媳妇——鬼打扮

判官讨饭——穷鬼

判官头上抹糨糊——糊涂鬼

判官玩魔术——鬼把戏

判决书做衣裳——浑身是罪

盼望出太阳的姑娘——想情(晴)人

盼月亮从西出——没指望

螃蟹打洞老鼠住——劳而无功

螃蟹的眼睛——死不瞑目

螃蟹过河——七手八脚

螃蟹过街——横行霸道

螃蟹夹鸡蛋——滚蛋

螃蟹进油锅——横行到头了

螃蟹拉车——不走正道

螃蟹拉蚂蚱——谦虚(牵须)

螃蟹满地爬——到处横行

螃蟹爬到当路上——横行霸道

螃蟹娶亲——尽是王八

螃蟹上吊——悬空八只脚

螃蟹上树——巴不得

螃蟹吐唾沫——没完没了

螃蟹造反——横冲直撞

胖大海掉进黄连水——苦水里泡大的

胖娘们过窄门——门当(挡)户对

抛彩球招亲——碰运气

抛了锚的汽车——寸步难行

泡桐树锯菜板——心虚

袍子改袄——越来越小

跑马使绊子——存心害人

炮打老帅——将军

炮打林中鸟——一哄(轰)而散

炮弹脱靶——放空炮

炮台上的麻雀——吓破了胆

炮筒里的炮弹——一触即发

炮筒里装针——心细

炮筒子脾气——一点就着;点火就着

炮仗炸碾盘——稳而不动

喷雾器放屁——毒气冲天

盆子里摆山水——清秀

彭祖遇寿星——各有千秋

捧土加泰山——不起作用

捧着空盒上寿——无理(礼)

捧着泥鳅玩——耍滑头

捧着书本骑驴——走着瞧

捧着鲜花坐飞机——美上天了

碰到南墙不回头——死心眼儿

披虎皮的驴——外强中干

披虎皮上山——吓唬人

披麻袋上朝——难登大雅之堂

披麻救火——惹火烧身

披麻戴礼帽——不协调

披蓑衣的被狗咬——穷人好欺负
披西装穿草鞋——不相称
披着狗皮的东西——不是人
披着虎皮进村——吓唬老百姓
披着破被子上朝——穷尽忠
砒霜拌大葱——又毒又辣
蚍蜉撼大树——自不量力
琵琶断了弦——谈(弹)崩了
琵琶挂房梁——谈(弹)不上
琵琶精进了算命馆——一眼看穿
皮包商发洋财——无本生意
皮坊的老板——牛皮大王
皮匠不带锥子——真(针)好
皮裤套棉裤——必定有缘故
皮球打蜡——又圆又滑
皮球敲鼓——空对空
皮球上磨刀——泄气
皮球上扎一刀——气消了
皮条打人——软收拾
皮影子作揖——下毒(独)手
屁股被蜂咬——不好声张
屁股底下安弹簧——一蹦老高
屁股底下长疮——坐卧不安
屁股底下长刺——坐不住
屁股挂弯镰——心术不正
屁股后面挂铃铛——穷得叮当响
屁股后头登一脚——各奔前程
屁股后头光秃秃——绝后
屁股后头作揖——没人领情
屁股夹算盘——有利就沾

屁股里插冰棍——凉了半截
屁股碰到城墙——没退路
屁股上安拉锁——开后门
屁股上插鸡毛——好伟(尾)大
屁股上吊案板——好大牌子
屁股上吊棒槌——自打自
屁股上吊蒲扇——走上风
屁股上挂粪筐——等死(屎)
屁股上抹香水——不值一文(闻)
屁股上拴石头——累赘
屁股上捅一刀——背后整人
屁股长疮脚扎刺——坐立不安
屁股坐在针毡上——忐忑不安
屁股坐竹凳——底子空
屁股坐在别人的脑袋上——欺人太甚
屁股坐在鸡蛋上——一塌糊涂
骗子碰到骗子——尔虞我诈
骗子遇扒手——你哄我,我哄你
飘上天的气球——轻浮
漂亮姐的耳环——光会钻空子
拼死吃河豚——不怕死
拼着一身剐,敢把皇帝拉下马——无私无畏
乒乓球打七板子——推三阻四
瓶口封蜡——滴水不漏
瓶里盛糨糊——装糊涂
屏风上贴仕女图——话(画)里有话(画)
平地不走爬大坡——自讨苦吃
平地搭梯子——无依无靠
平地的骡子——不懂坎儿
平地里起坟堆——无中生有

平地里挖坑——叫人栽跟头
平房门前漏雨——有言(檐)在先
平民百姓见玉帝——一步登天
苹果掉在箩筐里——乐(落)在其中
泼妇骂街——不讲道理
泼妇说脏话——不入耳
泼油救火——越帮越忙
泼在地上的水——难收拾
婆婆穿花鞋——赶时髦
婆婆戴花——老来俏
婆婆一个说了算——没公理
婆媳吵架儿子劝——左右为难
婆媳两个双守寡——没功(公)夫
笸箩里睡觉——卑躬(背弓)屈膝
破鞍子对瘦驴——穷凑合
破草帽——无边无沿
破船过江——人人自危
破釜沉舟——只进不退
破鼓配上破锣——穷快活
破罐子破摔——自暴自弃
破夹袄上绣牡丹——只图表面好看
破开乌贼肚——黑心肝
破了头用扇子扇——胆大包天
破锣嗓子——没好声
破锣嗓子唱山歌——难入耳
破麻袋装宝——有内才(财)
破麻袋做裙子——不是这块料
破马蹄表——没准儿
破帽子——露头
破棉袄——里外都不好

破棉袄套绸褂——装面子
破庙里的菩萨——东倒西歪
破皮球,烂轮胎——到处泄气
破筛子贴膏药——千孔百疮
破铜烂铁当武器——打烂仗
破土的春笋——拔尖
破袜子补帽沿——一步(布)登天
破网打鱼——瞎张罗
破鞋帮——露底
剖肚腹翻肠子——丢(抖)丑(臭)
剖腹藏珍珠——舍命不舍财
剖腹献肝胆——死尽忠心
蒲扇打锣——面面俱到
蒲扇两边摇——两面讨好
菩萨挨偷——失神
菩萨的耳朵——摆设
菩萨的脑袋——七窍不通
菩萨的胸膛——没心没肝
菩萨的眼睛——动不得
菩萨掉到染缸里——贪色鬼
菩萨跌下河——劳(捞)神
菩萨跺脚——妙(庙)极(急)了
菩萨讲《圣经》——神话
菩萨眉毛上挂霜——愣(冷)神
菩萨屁股底下长草——慌(荒)了神
菩萨碰破皮——伤神
菩萨扫地——劳神
菩萨头上拉屎——糟踏神像
菩萨头上冒烟——好神气
普宁寺的菩萨——至高无上

Q

妻死贼上房——内忧外患

七尺脚穿三寸鞋——硬装

七寸蛇配疥药——以毒攻毒

七个矮人睡一头——低三下四

七个婆婆拉家常——说三道四

七个钱放两处——不三不四

七个人聚会——三朋四友

七个人睡两头——颠三倒四

七个人通阴沟——低三下四

七个仙女争面脂——香三臭四

七根笛子一起吹——一个音

七姑八舅抬食盒——彬彬(宾宾)有礼

七鼓八钹——不入调

七斤面粉调了三斤糨糊——尽办糊涂事

七窍通六窍——一窍不通

七十老汉坐摇篮——老天真

七十岁婆婆学绣花——老来发奋

七十岁讨老婆——老来喜

七十岁学气功——老练

七十岁学巧——长到老,学到老

七仙女放烟火——天女散花

七仙女走娘家——云里来,雾里去

七月的荷花——红不久;一时鲜

七月的生柿子——难啃

棋逢对手——不相上下

棋盘边上的卒子——有你不多,无你不少

棋盘里的兵卒——只进不退

棋盘里的老将——出不了格

麒麟角，蛤蟆毛——天下难找

旗杆顶上吹喇叭——起高调

旗杆顶上放鞭炮——想（响）得高

旗杆顶上贴告示——天知道

旗杆尖上拿大顶——艺高胆大

旗杆上吹号角——高明（鸣）

旗杆上的猴子——到顶了

旗杆上挂地雷——空响

旗杆上挂红灯——照远不照近

旗杆上挂猪脑壳——头扬得高

旗杆上扎鸡毛——胆（掸）子不小

骑兵打胜仗——马到成功

骑兵掉河里——人仰马翻

骑兵队长打冲锋——一马当先

骑兵逛公园——走马观花

骑兵追击——马不停蹄

骑驴看唱本——走着瞧

骑驴扛布袋——蠢人蠢事

骑驴拿拐杖——多此一举

骑驴瞧账本——走着看，到了算

骑驴望着坐轿的——比上不足，比下有余

骑驴找驴——心不在焉

骑骆驼背大刀——阔马大刀

骑马不带鞭——拍马屁

骑马放屁——两不分明

骑驴扶墙——求稳

骑马观灯——走着瞧

骑马过独木桥——难回头

骑马上山——步步高升

骑马找判官——马上见鬼

骑马抓跳蚤——大惊小怪
骑马坐船——三分险
骑毛驴不用赶——熟路
骑牛追马——望尘莫及
骑兔子拜年——寒碜
骑在脖颈上撒尿——欺人太甚
骑在老虎背上——欲罢不能
骑着大象数着鸡——高的高来低的低
骑着老虎看美人——贪色不怕死
骑着驴看《三国》——走着瞧
骑着毛驴思骏马，官居宰相望王侯——贪得无厌
骑着骆驼吃包子——乐颠了馅
骑自行车过独木桥——小心翼翼
齐桓公的老马——迷途知返
起风又下雨——双管齐下
起个五更，赶个晚集——老落后；落后了
起义军打天下——除暴安良
起重机吊鸡毛——轻拿
乞丐的衣物——破烂货
乞丐身，皇帝嘴——不相称
汽车撞轮船——难得一回
汽车的后轮——不会拐弯
汽车放炮——泄气
汽车坏了方向盘——横冲直撞
汽车开进死胡同——走错了道
汽车亮了尾灯——回光返照
汽车跑到人行道上——不走正路
汽车前的大眼睛——顾前不顾后
汽车上的喇叭——不是吹的
汽车司机扳舵轮——忽左忽右

汽车压罗锅——死了也值(直)

气球上天——不攻自破

气死周瑜去吊孝——假仁假义

掐了头的树苗——节外生枝

掐头苍蝇——不知死活

千臂观音——多面手

千层鞋底做腮帮子——好厚的脸皮

千古的罪人——十恶不赦

千斤担子一人担——重任在肩

千斤重的种猪——肥头大耳

千里搭长棚——没有不散的筵席

千里打电话——遥相呼应

千里马长翅膀——突飞猛进

千里送鹅毛——礼轻情意重

千里遇知音——喜相逢

千年大树百年松——根深蒂固

千年古树当火棍——大老粗

千年胡椒万年姜——越老越辣

千年槐下乘凉——托前人的福

千年铁树开花——今古奇观

千人大合唱——异口同声

千日拜佛，一朝添丁——善有善报

千条江河归大海——大势所趋

铅笔芯儿——直肠子

牵动荷叶带动藕——互相牵连

牵牛花儿当喇叭吹——闹着玩

牵牛花攀到钻塔上——架子不小

牵牛花上树——顺杆爬

牵牛牵鼻子——抓住了关键

牵瘸驴上窟窿桥——左右为难

强盗念经——冒充好人
强盗拍照片——贼相难看
强盗敲门——来者不善
强盗杀人——谋财害命
强盗上了云头星——偷天换日
强盗伸手——偷偷摸摸
强盗偷石磙——笨贼
强盗遇见贼二爷——一对坏
强盗遇见贼娃子——一路货
强盗抓小偷——贼喊捉贼
强震中心的坯房——土崩瓦解
强拉秀才成亲——难为圣人
强令哑巴说话——逼人太甚
强扭的瓜儿——不甜
强求的婚配——不成
抢吃弄破碗——欲速则不达
抢来的媳妇——无情无义
跷跷板上搁鸡蛋——滚了
敲不响的木鼓——心太实
敲鼓吹口哨——自吹自擂
敲鼓的倒走——打退堂鼓
敲锅盖卖烧饼——好大的牌子
敲空米缸唱戏——穷开心
敲锣紧跟打鼓的——想(响)到一个点子上
敲锣找孩子——丢人打家伙
敲门惊柱子——旁敲侧击
敲山镇虎——虚张声势
敲头顶脚底响——灵透了
敲下去的钉子——定了
敲着饭碗讨吃的——穷得叮当响

敲着空碗唱曲子——穷作乐

樵夫卖柴——两头担心(薪)

瞧瞧过去，看看未来——瞻前顾后

劁猪割耳朵——两头受罪

桥上搭碉楼——底子空

桥是桥，路是路——清清楚楚

桥头上跑马——走投无路

荞麦地里捉王八——十拿九稳

荞麦面擀饼——不沾板

荞麦面饺子——一个比一个硬

荞麦皮里挤油——死抠

荞麦皮装枕头——正经货

巧八哥的嘴——能说会道

巧八哥拉家常——光耍嘴

巧他爹打巧他娘——巧极(急)了

巧他爹遇到巧他娘——巧上加巧

俏大姐的头发——输(梳)得光

俏大姐修眉毛——连根拔

俏大姐坐飞机——美上天了

俏眉眼做给瞎子看——白搭

切菜刀背上翻跟头——本领高

切菜刀剃头——好险

茄子炒南瓜——不分青红皂白

茄子地里道黄瓜——爱说啥说啥

茄子地里长蒺藜——坏种坏苗

茄子棵上结黄瓜——杂种

窃马贼戴佛珠——冒充善人

窃贼上房——偷梁换柱

秦桧的后代——奸小子

秦桧杀岳飞——不得人心

穷寡妇进当铺——人财两空
穷汉下饭馆——肚里空，兜里光
穷木匠开张——只有一句（锯）
穷皮匠的家当——破鞋
穷人打官司——场场输
穷人点蜡烛——大家借光
穷人卖儿女——迫不得已
穷人面前四堵墙——没有出路
穷人逃债——躲过初一，躲不过十五
穷债户过年——躲躲闪闪
秋后的蛤蟆——没几天叫头
秋后的核桃——满人（仁）
秋后的蚂蚱——蹦跶不了几天
秋后的南瓜——皮老心不老
秋后的茄子——蔫了
秋后的树叶——黄了
秋后的丝瓜——满肚子私（丝）
秋后的蚊子——嗡嗡不了几天
秋后望田头——找岔（茬）
秋天剥黄麻——扯皮
秋天的高粱——红到顶了
秋天的花椒——黑了心
秋天的嫩冬瓜——胎毛还没退
秋天的棉桃——合不拢嘴；咧开了嘴
秋天的木棉花——老来红
秋天的柿子——自来红
秋叶落塘——漂浮
蚯蚓变蛟——纵变不高
蚯蚓剥皮——无法下手
蚯蚓打呵欠——土里土气

蚯蚓钓鲤鱼——以小引大
蚯蚓翻跟头——直不起腰
蚯蚓过溪——无能为力
蚯蚓回娘家——弯弯曲曲
蚯蚓爬石板——无地自容
蚯蚓上墙——腰杆子不硬
蚯蚓找妈妈——走弯路
蚯蚓走路——能曲能伸
蛆虫变苍蝇——要飞了
蛐蛐钻磨心——头头是道
屈死鬼进衙门——鸣冤叫屈
娶得媳妇嫁不得女——有进无出
娶了老婆讨小婆——喜新厌旧
娶了媳妇忘了娘——白疼一场
娶媳妇穿孝衣——十里乡情不一般
娶媳妇打幡——成心起哄
娶媳妇碰见送殡的——扫兴
娶媳妇请吹鼓手——大吹大擂
娶媳妇死老娘——哭笑不得
去了角的公鹿——非驴非马
去了咳嗽添了喘——躲了一灾又一灾
去年的皇历——背时
去年的棉衣今年穿——老一套
泉水坑里扔石头——一眼看到底
拳师教徒弟——留一手
拳头打跳蚤——吃亏是自己
拳头捣蒜——辣手
拳头砸核桃——自己吃亏
犬守夜，鸡司晨——各尽其责
缺胳膊的穿坎肩——露一手

热汤泡雪花——马上全完
热蹄子马——闲不住
热天的扇子——家家忙
热天叫人烤火——不得人心
人打江山狗坐殿——抬举畜生
人到八十拜花堂——老来喜
人到古稀穿花衣——老来俏
人多主意多——集思广益
人急上路，毛驴急了趴下——成心闹别扭
人急跳窗户——不是门
人家吃饭你借碗——不看时候
人家的棺材抬自家——自讨晦气
人家的牡丹敬菩萨——借花献佛
人家骑马我骑驴，后面还有推车的——比上不足，比下有余
人老还穿儿时衣——过时货
人皮包臭肉——心里脏
人皮包骨头——心里脏
人情一把锯——你不来，我不去
人身上的垢，鸭背上的水——去了又来
人手一把号，各吹各的调——自行其是
人死大夫到——无济于事
人死了才抓药——晚了；迟了
人头上长疥疮——毛病
人心隔肚皮——识不透
人心隔肚树隔皮——难相识
人行影子走——寸步不离
人缘不好的老绝户——死了无人哭
人在屋檐下——不得不低头
人造牛黄——冒牌货
人造卫星上天——不翼而飞

人字双着写——不从也得从
人嘴两张皮——各说各有理
扔下讨饭篮打乞丐——忘本
扔下铁锤拿灯草——拈轻怕重
日出西山水倒流——天下奇闻
日落西山——红不久
日头晒屁股——懒人
日头晒瓮——肚里阴
肉案上的买卖——斤斤计较
肉包子打狗——有去无回
肉墩子——油透了
肉骨头落锅——肯(啃)定了
肉烂在锅里——肥水不外流
肉汤里煮元宵——混(荤)蛋
肉丸子掉进煤堆里——漆黑一团
如来佛打喷嚏——非同小可
如来佛的手心——谁也甭想出去
如来佛掌上翻跟头——跳不出去
如来佛捉孙大圣——易如反掌
入了洞房生孩子——双喜临门
入了殓写祭文——盖棺论定
入秋的石榴——点子多
入伍穿军装——头一回
软骨头卡在喉咙里——张口结舌
软索套猛虎——柔能克刚
软枣树下摸一把——小事(柿)一宗

S

仨钱买，俩钱卖——不图赚钱只图快
仨钱买匹马——自骑自夸

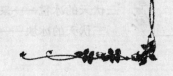

仨钱买头老叫驴——贱货

仨月不梳洗——不顾脸面

撒了谷子拾稻草——不分主次

腮帮贴膏药——不留脸面

塞翁失马——因祸得福

赛马场上的冠军——一马当先

三把钥匙挂胸膛——开心开心真开心

三百钱买个土地爷——钱能通神

三本经书掉了两本——一本正经

三岔口的地保——管得宽

三尺长的被单——顾头不顾脚

三尺长的梯子——搭不上言(檐)

三尺门槛——高抬不上

三寸舌头是软的——横说竖说都有理

三代人出门——扶老携幼

三顶帽子四人戴——难周全

三斗芝麻不入耳——听不进

三分面加七分水——十分糊涂

三分钱的买卖——本小利薄

三分钱的烧饼——大不了

三分钱买个臭猪蹄——贱货

三分钱买个二胡——要腔没腔,要调没调

三分钱买个牛肚子——尽吵(草)

三分钱买个小黑瞎子——熊玩艺

三分钱买个鸭头——嘴贱

三分钱买烧饼看厚薄——小气鬼

三分人才七分鬼——人不像人,鬼不像鬼

三伏天穿皮袄——不是时候

三伏天的冰雹——来者不善

三伏天的冰块——见不得阳光

三伏天的隔夜饭——臭货

三伏天的狗——上气不接下气

三伏天孵小鸭——坏蛋多

三伏天刮西北风——莫名其妙

三伏天喝冰水——凉透心

三伏天絮棉袄——闲时预备忙时用

三斧头砍不透的脸——好厚的脸皮

三个半人抓螃蟹——七手八脚

三个鼻孔眼儿——多一股子气

三个厨子杀六只鸡——手忙脚乱

三个菩萨两炷香——没有你的份

三个钱买个媳妇——贱人

三个人讲两句话——哪里轮得到你

三个铜子放两处——一是一，二是二

三个头头一个兵——不知听谁的

三个土地堂——妙（庙）妙（庙）妙（庙）

三个小鬼丢了俩——失魂落魄

三个妖魔戏白骨精——尽耍鬼把戏

三根缆绳拴两边——使偏劲

三根屎棍撑个瘦肩膀——摆臭架子

三顾茅庐——好难请

三棍子打不出屁来——老实到家了

三合板上雕花——刻薄

三花脸戴英雄巾——假充好汉

三加二减五——等于零

三间瓦房不开门——怪物（屋）

三角锉刀——面面有用

三角坟地——缺德

三角坟地跑火车——缺德带冒烟儿

三节棍上天——诽谤（飞棒）

三斤半干饭没吃饱——饭桶

三斤半鸭子二斤半嘴——多嘴多舌

三斤面包个包子——好大的面皮

三九天不穿棉——缩手缩脚

三九天吃冰棍——寒心

三九天穿裙子——美丽又动(冻)人

三九天穿短褂——抖不起威风

三九天的叫花子——又冷又饿

三九天掉冰窟——抖起来了

三九天扇扇子——心里有火

三九天生的孩子——愣(冷)娃

三九天送皮袄——暖人心

三九天种地瓜——怪哉(栽)

三九天种小麦——不是时候

三句话不离本行——干啥说啥

三流子哥大流子弟——二流子

三毛的头发——稀少

三亩地里一棵谷——单根独苗

三亩竹园出棵笋——独一无二

三年不漱口——一张臭嘴

三年不下雨——多情(晴)

三年不知肉味——不吃香

三年没人登门槛——孤家寡人

三片子嘴——能说会道

三横加一竖——妄想称王

三千丈的悬崖——高不可攀

三枪打了二十七环——八九不离十

三人过独木桥——有先有后

三色圆珠笔——多心

三十六计——走为上

三十亩地一头牛——安居乐业
三十年的旧棉絮——老套子
三十三颗荞麦九十九道棱——一成不变
三十晚上熬年——送旧迎新
三十晚上逼债——年关难过
三十晚上吃年饭——没外人
三十晚上发丧——又喜又悲
三十晚上借蒸笼——不是时候
三十晚上盼初一——指日可待
三十晚上盼月亮——没指望
三十晚上敲锣鼓——不知穷人苦不苦
三岁死了娘——说来话长
三岁娃娃挑挑子——负担太重
三岁置棺材——早晚有用处
三堂审苏三——真相大白
三头六臂——多面手
三天打鱼，两天晒网——磨洋工
三天拣了两泡牛屎——慢工出细活
三天卖不出去的猪下水——一副坏心肠
三天卖九根黄瓜——混日子
三天没吃饭——肚里没货
三条腿的蛤蟆——与众不同
三下五去二——干脆利索
三下五去四——错打了算盘
三下子少了两下子——就这一下子
三下子少了一下子——还有两下子
三仙姑传道——一人一个说法
三仙姑撒泼——装神弄鬼
三月的樱花——谢了
三月间的芥菜——另有心

三月里的桃花——经不起风雨
三月里扇扇子——春风满面
三月栽薯四月挖——急于求成
三张纸画个驴头——脸面不小
三丈长的扁担——摸不着头尾
三招加一招——出了新招
三只脚的板凳——坐不稳
三锥子扎不出一滴血——老牛筋;皮厚
《三字经》横念——人性狗(苟)
桑木扁担——宁折不弯
桑葚落地——熟透了
丧家的狗——无家可归
嗓门里喷胡椒面——够呛
嗓子里塞棉花——上气不接下气
嗓子眼里卡鱼刺——不上不下
嗓子眼里长骨头——有口难言
臊狐狸见不得关二爷——邪不压正
扫厕所的当知县——底子臭
扫地打跟头——成心起哄
扫帚打跟头——成精作怪
扫帚戴草帽——装人样
扫帚颠倒竖——光出岔子
扫帚画花——粗技大叶
扫帚写家书——说大话
扫帚写生——大话(画)
扫帚作揖——拜把子
色盲学画——不分青红皂白
森林里烤火——就地取材(柴)
森林里撒网——瞎张罗
森林失火——全是光棍

四九宝库/言语精华

砂糖蘸蜂蜜——甜上加甜
沙地拔萝卜——干净利索
沙地上推小车——一步一个脚印
沙锅炖牛头——盛不下
沙锅炖肉——熬出来的
沙锅里捣蒜——砸啦
沙梨打癞蛤蟆——一对疙瘩货
沙漠里播种——一无所获
沙漠里的骆驼——处处留迹
沙漠里的鸵鸟——顾头不顾腚
沙漠里的舟船——寸步难行
沙漠里撵小偷——跟踪追击
沙漠里野花开——埋没英才
沙滩里晒谷子——自找麻烦
沙滩上的楼阁——根基不稳;基础不牢
沙滩上的石子——俯首皆是
沙滩上钓鱼——无稽之谈
沙滩上走路——一步一个脚印
沙子垒墙——一推便倒
沙子里淘金——积少成多
鲨鱼钩钓虾米——小题大作
杀鸡割破胆——自讨苦吃
杀鸡给猴看——惩一儆百
杀鸡取蛋——只图一回
杀鸡取卵,打鹿取茸——得不偿失
杀鸡用牛刀——小题大作
杀鸡用上宰牛的劲——真笨
杀妻求将——官迷心窍
杀人不见血——心狠手辣
杀人不用刀枪——软收拾

杀人不眨眼睛——凶残
杀人的偿命，借债的还钱——理应如此
杀人强盗念佛经——假慈悲
杀人抢东西——图财害命
杀人越货的强盗——凶相毕露
杀死的公鸡扑楞翅——垂死挣扎
杀死娃娃敬菩萨——人也整死了，神也得罪了
杀猪的改行——放下屠刀
杀猪分下水——人人挂心肠
杀猪开膛——搜肠刮肚
杀猪捅屁股——外行
刹车抛锚——停止不前
傻二小吊孝——哭了半天，不知死的是谁
傻瓜伸脑袋——呆头呆脑
傻瓜做媒——坑两头
傻女婿娶个呆闺女——凑合着过
傻小子不识货——拣大的摸
傻小子理乱麻——越整越乱
傻小子爬墙头——四下无门
傻小子睡凉炕——全凭火力旺
傻子不识打更——敲竹杠
傻子打赌——说了不算
傻子打老子——白挨
傻子赶庙会——光图热闹
傻子活了九十八——虚度年华
傻子看到了神仙——少见多怪
傻子哭妈——乱嚷嚷
傻子洗泥巴——闲着没事干
傻子中状元——难得的好处
筛沙的筛子——尽缺点

筛子当水桶——漏洞百出

筛子挡门——眼睛多

筛子里的米粒——无孔不入

筛子下面的面粉——面面俱到

晒干的蛤蟆——干瞪眼

晒干的萝卜——蔫了

晒裂的葫芦——开窍了

扇蒲扇打蚊子——一举两得

扇着扇子拉风箱——两头受气

扇着扇子聊天——说风凉话

山半腰遭雨淋——上下两难

山顶乘凉——占上风

山顶喊话山下答——上下呼应

山顶上的蘑菇——根子硬

山顶上练嗓门——唱高调

山东的骡子学马叫——南腔北调

山东跑到山西——两岔

山洞里的蝙蝠——见不得阳光

山洞里的泉水——通行无阻

山洞里迷了路——摸不清方向

山沟里的人家——零零散散

山沟里的田鸡——目光短浅

山沟里叫喊——有回音

山谷的回声——不平则鸣

山谷里喊话——一呼百应

山猴爬树——拿手好戏

山鸡变孔雀——越变越好

山间竹笋——嘴尖皮厚腹中空

山洞里坐船——行不通

山里的狐狸——狡猾透了

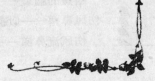

山里的五步蛇——毒极了

山里人有柴烧，岸边人有鱼虾——靠山吃山，靠水吃水

山里头打锣——有回音

山坡滚石头——砸啦

山坡上烧火——就地取材(柴)

山坡上凿石碑——就地取材

山泉出洞——细水长流

山上的枯藤——腐朽

山上发洪水——不敢当(挡)

山上喊话山下落——遥相呼应

山上开梯田——步步高

山上找鱼虾——没影的事

山头上搭戏台——高高在上

山头上对歌——一唱一和

山头上看飞机——高瞻远瞩

山羊打架——勾心斗角

山羊见了老虎皮——望而生畏

山羊拉屎——稀稀拉拉

山羊野马在一起——难合群

山腰里一片云——不成气候

山鹰的眼睛——尖锐

山中的瘦虎——雄心在

山中的野猪——嘴巴好厉害

山中无老虎，猴子便疯狂——妄想称王

山猪嘴里的龅牙——包不住

山字垛山字——请出

善男信女拜观音——心诚

鳝鱼的脑袋——又奸(尖)又猾(滑)

伤风鼻塞——似通非通

伤风流鼻涕——甩了

伤口上洒盐巴——疼痛难忍

伤口上长毒疮——坏到一块了

商店橱窗里的摆设——样子货

商店里的样品——摆设

赏月偏遇连阴天——扫兴

上不着天，下不着地——两头不着实

上厕所不解腰带——自便

上朝不带奏折——忘本

上等轮胎——有气难出

上等牙刷——一毛不拔

上房拆梯子——断了后路

上坟不带烧纸——惹祖宗生气

上坟烧纸钱——自家人哄自家人

上鸡窝摔跟头——笨(奔)蛋

上轿才扎耳朵眼——临时突击

上街买帽子——对头

上炕不点灯——瞎摸

上了笼头的骡子——踢腾不开

上了山顶想飞天——贪得无厌

上了套的牲口——听喝的

上了弦的箭——一触即发

上满发条的钟表——分秒不息

上山采竹笋——拔尖

上山钓鱼——呆子

上山钓鱼，下河打猎——路线错了

上山砍柴，过河脱鞋——到哪说哪

上山砍柴卖，下山买柴烧——多一道手续

上山刨黄连——自找苦吃

上市的乌龟——缩头缩脑

上树打跟头——爬得高，跌得重

上树逮麻雀——连窝端

上套的猴子——由人玩耍

上天摘星星——想入非非(飞飞)

上天摘月亮——痴心妄想

上吐下泻——两头忙

上午上房梁,下午想搬家——急于求成

上午栽树,下午取材——性太急

上午栽树,下午乘凉——急不可待

上鞋不用锥子——真(针)好

上锈的铁锁——难开窍

上弦的月亮——两头奸(尖)

上眼皮看下眼皮——目光短浅

上眼皮长瘤子——碍眼

上嘴唇顶天,下嘴唇挨地——不是凡人

烧袄灭虱子——不合算

烧房子拣钉子——得不偿失

烧干的锅炉——气炸了;气崩了

烧红的烙铁——烫手

烧红的煤炭吞下肚——心里有火

烧红的生铁——越打越硬

烧红了的煤球——吹不得,捧不得

烧黄青菜煮焦饭——过火

烧火棍子——一头热

烧火拉风箱——直来直去

烧了庙的土地爷——无家可归

烧了三炷香,放了七个屁——行善没有作恶多

烧煤油炉子——火不打一处来

烧香赶和尚——喧宾夺主

烧香碰倒菩萨——冒失鬼

烧香惹鬼叫——好心不得好报

烧香顺便看和尚——一举两得
烧香忘磕头——未尽心意
烧香遇到活菩萨——求之不得
烧香砸菩萨——不知好歹
艄公不摇橹——耽误一船人
少林寺的和尚——名扬四海
少林寺的拳师——软硬功夫都有
少年长白发——未老先衰
少时衣裳老来穿——过时货
少小离家老大回——不识相
蛇被抓住了七寸——浑身酥软
蛇进曲洞——有进无出
蛇头上揩痒——自己找死
蛇吞扁担——直脖啦
蛇吞黄鳝——比长短
蛇吞老鼠鹰叼蛇——一物降一物
蛇吞象——不自量
蛇吞蝎子——以毒攻毒
蛇遭蝎子蜇——一个比一个毒
蛇钻窟窿——顾前不顾后
蛇钻竹筒——没有回头的余地
舌尖上搽胭脂——嘴里漂亮
舌头打滚——含糊其辞;含含糊糊
舌头磨剃头刀——好险
舌头上抹胶——张口结舌
舌头上生疥疮——说不出好话来
舌头伸到水缸里——不着边际
舌头舔鼻尖——想高攀
舌头咽到肚子里——说不得
舌头长疮——难开腔

佘太君挂帅——马到成功
舍得买马，无钱置鞍——大处不算小处算
舍了脊梁护胸膛——顾前不顾后
舍身崖边弹琵琶——临危不乱
舍身崖上摘牡丹——贪花不顾生死
射出的箭，泼出的水——收不回来
射击场上的靶子——漏洞百出
射箭没靶子——无的放矢
申公豹的脑袋——人前一面，人后一面
申公豹的眼睛——朝后看
申公豹的嘴——搬弄是非
深山老坟堆——久慕（墓）
深山老林的枯树——无用之材
深山里打猎，大海里捕鱼——靠山吃山，靠水吃水
深山里的白脸狼——成群结伙
深山里的麻雀——没见过风浪
深山里的小庙——冷冷清清
深山里敲钟——名（鸣）声在外
深山密林迷了路——叫天天不应，唤地地不灵
深山小庙的菩萨——没见过大香火
身后的影子——寸步不离
身居屋檐下——不得不低头
身披虎皮心发抖——外壮内虚
身上拔汗毛——无伤大体
身上背筛子——浑身是窟窿
身上抹狗屎——走到哪臭到哪
神婆子念咒——瞎叨叨
神枪手打靶——百发百中
神台上的狗屎——神憎鬼厌
神仙不做做凡人——贱骨头

神仙打架——凡人遭殃

神仙的茅坑——没有份(粪)

神仙女下凡间——天配良缘

神像拍胸口——没心没肝

神主头上使剪刀——羞(修)先人

审判员入狱——执法犯法

生成的矬子——高不了

生虫的核桃——不是好人(仁)

生姜脱不了辣气——本性难移

生就的呆子——糊涂一生;一世糊涂

生就的骨头长就的筋——变不了;没法变

生就的驼子——直不了

生了娃娃休妻——不念旧情

生米做成了熟饭——更改不掉

生铁进了铁匠炉——挨锤的货

生铁犁头——宁折不弯

生同衾,死同穴——生死相依

生吞蜈蚣——百爪挠心

牲口不上膘——料不到

牲口进磨道——兜圈子

升不离斗,秤不离砣,筛子不离筐和箩——各有各的搭档

绳索套在马脖子上——身不由己

剩下九十九个——百里挑一

圣人从军——能文能武;文武双全

圣人盗书——文明人不做文明事

圣人喝卤水——明白人办糊涂事

圣人门前卖经书——自己献丑

圣人面前卖文章——自不量力

师傅收儿当徒弟——一辈传一辈

师傅长胡子——老把式

师字去了横——真帅

狮子滚绣球——大头在后面

狮子配老虎——十全十美

狮子头上捕苍蝇——胆子不小

狮子尾巴摇铜铃——热闹在后头

虱子躲在皮袄里——有住的，没吃的

虱子钻进麻布眼——伸头容易缩头难

失舵的轮船——把握不住方向

失火唱山歌——幸灾乐祸

失火钻床下——只顾一时

失去的光阴灭了的火——一去永不来

失意人逢得喜事——一番欢喜一番愁

失踪的飞机——下落不明

湿柴火烧锅——憋气又窝火

湿煤压火——闷（焖）起来了

湿手扒灰面——难脱手

湿手捏干面——沾上了

湿水棉花——无法谈（弹）

湿灶烧湿柴——有火发不出

时装表演——故作姿态

石板底下的菩萨——总受压

石板地上插扬柳——难生根

石板上钉钉——硬碰硬

石板上砍鱼——难下刀

石板上烙饼——面生

石板上植树——劳民伤财

石板上种瓜——难发芽

石板桥上跑马——不留痕迹

石沉大海——没回音

石锤子捣石钵子——实（石）打实（石）

石地板，铁扫把——硬碰硬
石缝里的山药——两头受挤
石缝里的笋——强出头
石斧开山——实(石)打实(石)
石膏店的老板——白手起家
石磙点灯——照常(场)
石磙子脑袋——不开窍
石灰搀墨——混淆黑白
石灰点眼——自找难看
石灰店里买眼药——走错了门
石灰堆里的耗子——白眼看人
石灰浆写文章——净写别(白)字
石灰铺路——白走
石灰石进了火窑里——要留清(青)白在人间
石灰刷烟囱——表里不一
石灰窑里安电灯——明明白白
石灰窑里打跟头——白走一遭
石匠打铁——看不出火候来
石匠的钢钎——挨敲的货
石匠的凿子——专拣硬的克
石匠锻磨子——走老路
石匠会铁匠——硬对硬
石匠使拳头——硬充能耐
石臼做帽子——难顶难撑
石榴花开——老来红
石榴脑袋——点子多
石榴树上挂醋瓶——又酸又涩
石榴树做棺材——横竖不够料
石马塞进车辕里——生搬硬套
石菩萨的眼睛——有眼无珠

石人张嘴——没话
石狮子得病——不可救药
石狮子的脑袋——七窍不通
石狮子的屁股——没门;无门
石狮子灌米汤——滴水不进
石头出汗——回潮了
石头打汤——不进油盐
石头打着乌鸦嘴——硬碰硬
石头缝里挤水——异想天开
石头缝里长竹笋——憋出来的
石头开花马生角——不可能的事
石头脑袋秤砣心——死心眼
石头人——死心眼
石头人打架——硬碰硬
石头人开口——说实(石)话
石头锁子——一点心眼也没有
石头娃子——缺少心眼
石头腌咸菜——一言(盐)难尽(进)
石头扎针灸——没反应
石头孵小鸡——一成不变
石头做的心——无情无义
石头做屋基——永世不得翻身
石柱子戴草帽——凑人头
石子烧豆腐——软硬不均
十八般武艺全使出来——大显身手
十八口子乱当家——各自为政
十八罗汉斗悟空——大打出手
十八岁当博士——少年老成
十八只唢呐齐奏——全吹了
十步九回头——难舍难分

十冬腊月出房门——动(冻)手动(冻)脚
十冬腊月的鼓风机——专吹冷风
十二寡妇征西——全家都上
十二月的白菜——动(冻)了心
十二月逛公园——坐冷板凳
十二月说梦话——夜长梦多
十个手指头——长短不齐
十个铜板少一文——久闻(九文)
十个指头按跳蚤——一个也捉不住
十个指头做事——同心协力
十两纹银——一定(锭)
十亩园里一棵草——单根独苗
十亩竹园一根笋——格外珍贵
十年等个闰腊月——机会难得
十年寒窗中状元——先苦后甜
十年无战事——安居乐业
十三陵的石人——站惯了的
十三陵的石人张大嘴——没话
十天跑完万里长城——一日千里
十五的月亮——圆圆满满
十五个吊桶打水——七上八下
十五个妇女拉家常——七嘴八舌
十五个瘸子拜年——七高八低
十五个人抬木头——七手八脚
十五个驼子睡一炕——七拱八翘
十五个瓦盆摔山下——七零八落
十五条扁担扔一地——横七竖八
十五张画贴一块——七拼八凑
十五只老鼠打架——七抓八扯
十五只小船出海——七颠八倒

十五只蜘蛛结网——七勾八扯

十月的芥菜——齐心

十月的倭瓜——一肚子私(丝)

十月里的鸡冠花——老来红

十盏明灯熄五盏——半明半不明

十指头生疮——毒手

十字街头的瞎子——摸不清东西南北

十字街头迷了向——糊涂东西

十字路口分手——各奔前程

十字路口贴告示——众所周知

实心竹子吹火——一窍不通;不通

实心竹子做笛子——吹不响

拾柴打兔子——一举两得

拾到篮里都是菜——好歹不分

拾鸡毛当令箭——少见多怪

拾钱出告示——不贪意外之财

史进认师父——甘拜下风

史进偷鸡——祸从口出

屎逼肛门找茅坑——来不及

屎布围在脖子上——臭一圈

屎壳郎照镜子——臭美

屎壳郎搬家——臭折腾

屎壳郎变知了——一步登天

屎壳郎插羽毛——冒充鹰

屎壳郎搽胭脂——臭美

屎壳郎吃醋——又酸又臭

屎壳郎吃蛆虫——臭味相投

屎壳郎出国——臭名远扬

屎壳郎传宗接代——遗臭万年

屎壳郎吹喇叭——满嘴放臭气

屎壳郎打呵欠——一张臭嘴
屎壳郎打饱嗝儿——满嘴喷粪
屎壳郎打灯笼——找死(屎);寻死(屎)
屎壳郎打蚂蚁——大的欺负小的
屎壳郎戴耳环——摆臭阔气
屎壳郎戴花——臭美
屎壳郎戴礼帽——出洋相
屎壳郎戴面具——臭不要脸
屎壳郎戴墨镜——昏天黑地
屎壳郎掉进靛缸里——贪色不怕死
屎壳郎掉进面缸里——假充小白脸
屎壳郎掉进尿盆里——又臊又臭
屎壳郎掉进阴沟里——随波逐流
屎壳郎跌粪坑——死(屎)里求生
屎壳郎发疟疾——又黑又瘦
屎壳郎放屁——不值一文(闻)
屎壳郎飞进桂花园——一阵香,一阵臭
屎壳郎跟着蝙蝠飞——迟早要碰壁
屎壳郎跟着孔雀飞——变不成俊鸟
屎壳郎过车辙——笨(奔)蛋
屎壳郎滚粪蛋——走回头路;倒退
屎壳郎滚煤球——一路货
屎壳郎喝稀饭——越吃越糊涂
屎壳郎和苍蝇交朋友——臭味相投
屎壳郎叫门——臭到家了
屎壳郎扛大旗——臭名昭著
屎壳郎哭舅舅——两眼墨黑
屎壳郎拉稀——又黑又瘦
屎壳郎撵屁——一场空
屎壳郎捏喇叭——臭吹

屎壳郎爬鞭梢——光知腾云驾雾，不知死在眼前
屎壳郎爬玻璃——没抓挠
屎壳郎爬到虎头上——吓唬人
屎壳郎爬到牛角尖里——绝路一条
屎壳郎爬到桑叶上——吐不出好丝来
屎壳郎爬到书本上——冒充圣人
屎壳郎爬粪堆——找死（屎）；寻死（屎）
屎壳郎爬茅坑——离死（屎）不远
屎壳郎爬扫帚——结不了什么茧
屎壳郎爬树——玄乎
屎壳郎爬铁道——爬一节，臭一节
屎壳郎爬在算盘上——混帐（账）
屎壳郎排队——一溜黑货
屎壳郎配臭虫——臭味相投
屎壳郎配花大姐（二十八星瓢虫）——一对臭货
屎壳郎碰到拉稀的——白跑
屎壳郎上饭桌——恶心
屎壳郎上锅台——手忙脚乱
屎壳郎说书——满嘴臭屁
屎壳郎谈恋爱——臭味相投
屎壳郎掏大粪——越搞越臭
屎壳郎推车——滚蛋
屎壳郎拖粪——越拖越重
屎壳郎围着驴腚转——跟屁虫
屎壳郎下蛋——孬种；不是好种
屎壳郎遇到放屁的——白欢喜
屎壳郎钻炭堆——不显眼
屎壳郎钻在粪堆里——臭味相投
屎壳郎坐飞机——臭气熏天
屎壳郎坐轮船——臭名远扬

屎坑里的皮球——说他臭，他还一肚子气

屎坑上搭凉棚——摆臭架子

屎盆往脑袋上扣——栽赃（脏）

屎胀了挖茅厕——迫不及待

士兵搭帐篷——安营扎寨

世界地图吞肚里——胸怀全球

收割了的庄稼地——一溜净光

收了白菜种韭菜——清（青）白传家

收了庄稼到田间——找岔（茬）

手背上长白毛——老手

手打鼻子——眼前过

手电筒没灯泡——有眼无珠

手里的泥丸——要扁就扁，要圆就圆

手里提个秃镐头——没有把握

手里无网看鱼跳——干着急

手榴弹爆炸——心胆俱裂

手榴弹捣蒜——好险

手拿谜语猜不出——执迷（谜）不悟

手拿算盘串门子——找人算账

手捧蒺藜——碰到棘手事；棘手

手心里搭舞台——捧场作戏；捧场

手心里的玻璃球——掌上明珠

手心里的面团——要扁就扁，要圆就圆

手心里的虱子——明摆着

手痒去捅马蜂窝——想惹祸

手长六指头——节外生枝

手掌上的纹路——明摆着

手掌削铅笔——快手

手指头抠眼睛——昏了头

手抓肥皂泡——摸透了

守着老虎睡觉——不知死活
守着瞎子打俏眼——白费功夫
守株待兔——得之不易
受潮的火柴——有火没处发
受旱的苦瓜——熟得早
受贿的酒宴——不是好吃的
受惊的麻雀——胆子小
寿星出点子——老主意
寿星的棉袄——老套子
寿星跌跟头——老得发昏
寿星公唱曲子——尽是老调
寿星看太医——老毛病
寿星老儿吃砒霜——活得不耐烦
寿星老儿喝人参汤——嫌命短
寿星老儿练琵琶——老生常谈(弹)
寿星老儿卖妈妈——倚老卖老
寿星老儿气喘——老毛病
寿星老儿敲门——肉头到家了
寿星老儿寻短见——活够了
寿星娶小——人老心不老
瘦驴拉硬屎——硬逞能
瘦牛想吃高山草——力不从心
瘦子光膀子——露骨
舒服他娘哭半夜——舒服死啦
梳妆台上的镜子——明摆着
输了的象棋——定局了
书房里燃炮仗——乱放炮
书生赶牛——慢慢来
熟人对面不相识——眼力差
熟透的桑葚——红得发紫

秫秸秆当门闩——经不住推，也经不住拉
暑天的老鸹——叫得凶
暑天下大雪——少见
属鹌鹑的——好斗
属扒火棍的——一头冷来一头热
属芭蕉的——皮焦根枯心不死
属刨花的——点火就着
属比目鱼的——成双成对
属玻璃的——经不起敲打
属蛇的——能曲能伸
属臭豆腐的——闻着臭，吃着香
属窗户纸的——一捅就破
属大肠的——扶不直
属大肚罗汉的——睁只眼，闭只眼
属地瓜的——一辈子出不了头
属手电筒的——照见别人，照不见自己
属豆饼的——上挤下压
属疯狗的——见人就咬
属跳蚤的——一碰就跳
属狗的——翻脸不认人
属狗尾巴的——越摸越翘
属公鸡的——好斗
属含羞草的——碰不得
属寒号鸟的——得过且过
属豪猪的——浑身是刺
属耗子的——胆子小
属黑瞎子的——吃饱就睡
属黄花鱼的——溜边了
属黄鳝的——溜啦
属蒺藜的——扎手扎脚

属济公的——疯疯癫癫

属计算机的——心中有数

属孔雀的——爱翘

属蜡烛的——不点不明

属老母猪的——吃饱就睡

属老鼠的——爱偷

属雷管的——碰不得

属漏斗的——填不满

属吕布的——有勇无谋

属蚂蟥的——吸血鬼;专吸人血

属蚂蚁的——光钻空子

属泥鳅的——又圆又滑

属螃蟹的——横行霸道

属炮筒子的——直来直去

属皮球的——踢来踢去

属辣椒的——越老越红

属生姜的——越老越辣

属孙猴的——说变就变

属昙花的——红颜薄命

属弹簧的——能曲能伸

属唐僧的——慈悲为怀

属兔子的——溜得快

属鸵鸟的——顾头不顾尾

属蚊子的——专吸人血

属乌龟的——缩头缩脑

属喜鹊的——好登高枝

属熊猫的——不合群

属鸭子的——填不饱肚子

属牙膏的——受人排挤;不挤不出

属夜猫子的——穷叫唤

属张飞的——粗中有细

属猪八戒的——好吃懒做

属竹子的——心虚

数九寒天穿裙子——抖起来了

树上的乌鸦，圈里的肥猪——一色货

树上的叶子——冷落

树梢上吹喇叭——趾(枝)高气扬

树叶掉下怕打破头——胆小鬼

树叶掉下来捂脑袋——过分小心

树荫里拉弓——暗箭伤人

树枝做拐仗——净岔子

竖起大拇指当扇子——自夸

刷子画梧桐——粗枝大叶

耍大刀的唱小生——改行

耍皮影子的——尽捉弄人

摔跟头捡钞票——做美梦

摔跤捡金条——喜出望外

甩出去的手榴弹——大发雷火

甩了皮鞭拿棒槌——软硬兼施

甩了西瓜捡芝麻——避重就轻

甩手掌柜——什么事也不管

拴在树桩上的叫驴——尽绕圈子

双胞胎比长相——一模一样

双胞胎睡懒觉——对不起

双黄蛋——有二心

双簧戏表演——随声附和

双目失明的司令——瞎指挥

双色圆珠笔——有二心

双手举过头——超额

双手拍蚂蚱——一下当两下

双手擎根鸡毛——轻而易举

霜打的高粱苗——抬不起头来

霜打的黄瓜——蔫了

霜打的嫩苗——奄奄一息

霜打的茄子——软不拉耷

霜打的柿子——甜透

霜后的大葱——不死心

霜后的桑叶——没人睬(采)

霜降后的蝈蝈——没几天叫头

霜降后的萝卜——动(冻)了心

水边盖楼房——首当其冲

水兵的汗衫——道道多

水池里拾蟹子——十拿九稳

水池里长草——荒唐(塘)

水到屋顶帆到瓦——水涨船高

水豆腐——不堪一击

水豆腐炒豆渣——吵(炒)个稀巴烂

水滴石板穿,绳锯木头断——日久见功夫

水底捞月,天上摘星——可望而不可即

水缸里摸鱼——十拿九稳

水缸里着火——没有的事

水缸里装酒——不能混为一谈(坛)

水鬼插秧——怪哉(栽)

水鬼投胎——借尸还魂

水鬼找城隍——恶人先告状

水壶里盛汤圆——肚里有货倒不出

水进葫芦——吞吞吐吐

水晶菩萨——神明

水井放糖精——甜头大家尝

水里的蛤蟆——一鼓作气

水里的鸳鸯——形影相随
水龙头不关——自流
水萝卜——皮红心不红
水面上的油花——漂浮
水灭火，金克木——一物降一物
水泥柱当顶门杠——大老粗
水牛踩浆——拖泥带水
水牛打架——勾心斗角
水牛过河——露头角
水牛见了骆驼——矮了一大截
水牛角——难治(直)
水牛长毛——彻头彻尾
水泡豆子——自大；自我膨胀
水上的浮萍——难生根
水蛇投鱼网——胡搅蛮缠
水獭看渔场——越看越光
水塘里挖藕——心眼多；心眼不少
水桶当喇叭——大吹
水桶缺了把——不成体统(提桶)
水仙不开花——装蒜
水中鳄鱼，山上的虎豹——凶的凶，狠的狠
水中月，镜中人——看得见，摸不着
水煮驴皮胶——难熬
睡梦别扁担——到处横行
睡梦里抱元宝——财迷
睡梦里演讲——胡言乱语
睡梦娶媳妇——痛快一时
睡梦坐朝廷——快活一时算一时
顺脚印走路——步人后尘
顺手牵羊——趁机行事

顺水推舟，顺风扯篷——见机行事
顺藤摸瓜——十拿九稳
顺藤扒地瓜——追根到底
顺着梯子下矿井——步步深入
说出的话牛都踩不烂——硬邦邦
说话捧着乌纱帽——封官许愿
说书的唱大鼓——走了板
说书的刹板——下回分解
说书的嘴，唱戏的腿——有伸有缩(说)
说书人落泪——替古人担忧
撕衣服补裤子——因小失大
丝瓜筋打老婆——装腔作势
司鼓兼吹号——自吹自擂
司号员打鼓——自吹自擂
司机闹情绪——想不开
司令哼曲子——官腔官调
司令上树——趾(枝)高气扬
司马夸诸葛——甘拜下风
司马懿破八封阵——不懂装懂
司马昭之心——路人皆知
司务长买饭票——公私分明
死狗皮挂在墙上——死撑
死后谈功过——盖棺论定
死鸡撑硬颈——强打精神
死了没人抹眼皮——断子绝孙
死了三年的老鸹——光剩嘴
死了爹哭妈——混小子
死了耗子猫来哭——假慈悲；假慈善
死了孙子哭爷爷——乱了辈份
死了丈夫没了儿——孤家寡人

死了丈人哭爹——随大流

死马当活马骑——痴心妄想

死马当活马医——痴心妄想

死牛用刀杀——多此一举

死人穿新鞋——白糟蹋

死人脸上挨耳光——死不要脸

死人拍马屁——讨好鬼

死人欠账——活该

死鱼的眼睛——定了

死罪逢恩诏——喜出望外

四大金刚扫地——有劳大驾

四大金刚讨饭——穷凶极恶

四大金刚摇船——大摇大摆

四个鼻孔烂了仨——一个鼻孔出气

四两花椒炖只鸡——肉麻

四面脑勺子——没脸

四十里地不换肩——抬杠的好手

四肢抽筋——缩手缩脚

四肢长胡子——毛手毛脚

寺庙里的木鱼——任人敲打

松了腰带抬石头——没劲儿

松鼠的尾巴——翘得高

松树林里挂灯笼——万绿丛中一点红

宋朝的秦桧，明朝的严嵩——奸对奸

宋徽宗的鹰，赵子昂的马——好话(画)儿

宋太祖陈桥兵变——取而代之

送亲家接媳妇——两头不误

送走客人做饭吃——吝啬鬼

馊饭抹脑袋——霉到顶了

苏妲己打喷嚏——妖气

苏妲己的妈妈——老狐狸精
苏州的蛤蟆——难缠(南蟾)
蒜辫子顶门——头多
算卦先生的葫芦——肚里有鬼
算卦先生的签袋子——满肚子鬼
算盘珠子——不拨不动
算盘子儿进位——以一当十
随口哼山歌——心里有谱
碎了碟子又打碗——气上加气
孙膑吃狗屎——装疯卖傻
孙大圣管蟠桃园——监守自盗
孙大圣赴蟠桃宴——偷吃偷喝
孙二娘的裹脚布——又臭又长
孙二娘开店——谋财害命
孙猴子上天宫——得意忘形
孙猴子上玉皇殿——闹得天翻地覆
孙猴子守桃园——自食其果
孙猴子跳出水帘洞——好戏在后头
孙猴子压在五行山下——永世不得翻身
孙猴七十二变——神通广大
孙猴甩掉紧箍咒——无法无天
孙猴钻进铁扇公主肚子里——心腹之患
孙猴子半天云里打眼罩——站得高,看得远
孙猴子变戏法——无中生有
孙猴穿汗衫——半截不像人
孙猴子的脸——变化无常
孙猴子的屁股——坐不住
孙猴子的手脚——闲不住
孙猴的尾巴——变不了;没法变
孙猴子斗牛魔王——打你个牛角朝天

孙猴子封了个弼马温——不知自己官大官小
孙猴子上了花果山——称王称霸
孙猴子着了急——抓耳挠腮
孙猴子坐天下——手忙脚乱
孙猴子做官——毛遂自荐
孙权嫁妹——赔了夫人又折兵
孙权杀关公——嫁祸于人
孙悟空拔猴毛——说变就变
孙悟空保唐僧——降妖拿怪
孙悟空变魔术——花样多
孙悟空戴上紧箍咒——有法难使
孙悟空当齐天大圣——自封为王
孙悟空到南天门——慌了神
孙悟空登上金銮殿——毛手毛脚
孙悟空翻跟头——出不了如来佛的手心
孙悟空借芭蕉扇——一物降一物
孙悟空捉猪八戒——能人之上有能人
孙悟空赴蟠桃会——不请自到
孙悟空手里的金箍棒——随心所欲
孙悟空遇唐僧——有理说不清
孙悟空照镜子——猴里猴气
孙悟空捉妖——变化多端
孙悟空变山神庙——露了尾巴
孙悟空打猪八戒——倒挨一耙
孙悟空的金箍棒——能大能小
孙悟空放屁——猴里猴气
孙悟空进了八卦炉——越炼越结实
孙悟空三打白骨精——降妖拿怪
孙悟空跳出老君炉——捂不住
孙悟空听见紧箍咒——头痛

孙悟空住在水帘洞——称王称霸

唆人跳海——硬往死里逼

梭子不挂线——空来往

唢呐里吹出笛子调——想(响)的不一样

T

塔顶散步——走投无路

踏死蛤蟆肚子胀——好大的气

踏着脖子敲脑袋——太欺负人

台上唱戏,台下打鼾——看不上眼

台上耍魔术——假的

台上握手,台下踢脚——两面派

台子上收锣鼓——没戏唱了

抬棺材的打哈哈——有哭有笑

抬棺材的掉裤子——羞死人

抬头望鹰,低头抓鸡——眼高手低

抬头只见帽沿,低头只见鞋尖——眼光短浅

太行山上看运河——远水不解近渴

太极拳的功夫——柔中有刚

太监出家——诚心实意

太监读圣旨——照本宣科

太监娶媳妇——痴心妄想

太平洋搬家——翻江倒海

太平洋的海鸥——经过风浪

太平洋里下钩子——放长线钓大鱼

太平洋里一滴水——微乎其微

太平洋上的警察——管得宽

太上老君开处方——灵丹妙药

太岁当头坐——非灾即祸

太岁头上的土——动不得

太岁头上动土——胆子不小
太阳底下竖竹子——立竿见影
太阳地里打电筒——多此一举
太阳地里望星星——白日做梦
太阳落山的夜猫子——开了眼
太阳照到墙洞里——风缝就钻
泰山顶上唱大戏——唱高调
泰山顶上搭架子——越来越高
泰山顶上散步——没奔头
泰山顶上添捧土——无济于事
瘫子掉井里——捞起也是坐
瘫子截路——坐地呐喊
瘫子靠跛子——不可靠
瘫子造反——坐着喊
贪吃不留种——过一天算一天
贪官醉酒——丑态百出
贪婪鬼赴宴——饱吃饱喝
贪食拉肚子——吃了嘴的亏
贪嘴的鱼儿——爱上钩
谈判桌上的交易——讨价还价
谈心不点灯——说黑话
坛子里的豆芽菜——受不完的勾头罪
坛子里腌咸菜——泡汤了
坛子里养乌龟——越养越小
弹花槌擀烙饼——心里厚
弹花店挂弓——不谈(弹)了
弹花匠上殿——有功(弓)之臣
弹簧身子蚂蟥腰——能曲能伸
檀香木当柴烧——不识货
坦克打冲锋——有股闯劲

炭火盆扛肩上——恼(脑)火
汤罐煮鸡头——突出一张嘴
汤锅里放黄连——有苦大家吃
唐朝的茶杯——老古词(瓷)
唐朝的擀面杖——老光棍
唐三藏撞见牛魔王——舌头短一截
唐三藏过火焰山——没咒念
唐山的火车——倒霉(煤)
唐僧的眼睛——不认识好坏人
唐僧害嘴病——没咒念
唐僧跑进和尚庙——同吃一碗斋饭
唐僧遇见白骨精——敌我不分
糖炒板栗——熟了就崩
堂前中央挂灯笼——正大光明
螳臂挡车——不自量
螳螂挡车逞霸道——没有好下场
螳螂肚子蛤蟆嘴——怪模怪样
螳螂捕蝉——不顾后患
躺倒的枯树——腐朽
躺在功劳簿上睡大觉——沾沾自喜
躺在棺材里想金条——贪心鬼
躺着拉屎——没劲儿
躺着说话——不腰痛
烫死的鸭子——身子烂了嘴还硬
掏耳朵用马勺——小题大作
掏干油罐子煎豆腐——不惜代价
桃花潭水深千尺——无与伦比
桃子破肚——杀身成仁
逃了和尚有庙在——尽管放心
讨吃的敬神——穷恭敬

讨吃的喂猴——玩心不退

讨饭的搬家——光棍一条

讨饭的摆酒席——穷排场

讨饭的掉泪——哭穷

讨饭的拐杖——穷棒子;穷棍

讨饭的喊伴——穷叫唤

讨饭的扭秧歌——穷作乐;穷快活

讨饭的遇见叫花子——穷对穷

讨来的鸡屁股供菩萨——穷恭敬

讨来的馍馍敬祖先——穷孝顺

剔了肉的猪蹄——贱骨头

踢寡妇门,挖绝户坟——净干缺德事

提包没有底——装不满

提扁担进屋——直进直出

提花机断了弦——别提了

提鸡赶鸭子——一举两得

提傀儡上戏场——缺少一口气儿

提着尺子满街跑——不量自己,先量别人

提着醋瓶借钱——穷酸

提着灯笼打柴——明砍

提着灯笼拾粪——找死(屎)

提唢呐打瞌睡——做事不当事

提着头发上天——办不到

提着口袋倒核桃——一个不留

提马灯下矿井——步步深入

提着灯笼行窃——明目张胆

提猪头进庙——走错了门

剃头带掏耳朵——里外干净

剃头带洗澡——干净利索

剃头刀擦屁股——好险

剃头的动手——一触即发

剃头的管修脚——负责到底

剃头的头发长，修脚的脚生疮——先人后己

剃头匠发火——置之不理

剃头挑子——一头热

天安门前的狮子——一对儿

天鹅落在鸡窝里——盛不下

天干禾苗黄——奄奄一息

天高皇帝远——管不着；有冤无处伸

天狗吃月亮——无从下口

天花板上挂棋盘——一个子儿也没有

天井里捉鱼虾——没来路

天井里的瞎子——处处碰壁

开井里竖竹竿——无依无靠

天亮下大雪——明明白白

天冷偏烤湿柴火——对着吹

天南地北走亲戚——来去自由

天平没法码——两头空

天平上秤体重——把人看轻了

天平上称大象——不知轻重

天然牛黄——宝贝疙瘩

天山顶上一棵草——有你不多，无你不少

天上的流星——一时光

天窗下谈天——说亮话

天黑敬菩萨——心到神知

天黑想起赶集——错过时机

天灵盖上长眼睛——目中无人

天猫配地狗——一对儿

天平上乱加码子——不公平

天上的飞机，地下的火车——撞不上

天上的老鹰不吃脏东西——清高
天上掉馅饼——白日做梦
天上裂了缝——日月难过
天上霹雳打雷公——自相惊扰
天天泡病号——不是好人
天文台上的望远镜——好高骛远
天要下雨，娘要嫁人——无可奈何；由不得人
田埂上推车——路子窄
田埂上修茅厕——肥水不落外人田
田里的庄稼——土生土长
田鼠走亲戚——土里来，泥里去
挑水的娶个卖菜的——志同道合
挑担的松腰带——没劲儿
挑灯草走路——干轻巧活
挑缸钵的断扁担——没有一好货
挑脚的穿大褂——冒充斯文
挑雷管上山——担风险
挑石登泰山——谈何容易
挑雪堵洞——劳而无功
挑盐腌海——尽干傻事
挑一担子瓦罐过河——操心过度（渡）
挑着担子背着娃——能者多劳
挑着大粪吃油条——闻不着香臭
挑水骑单车——本领高
挑着缸钵走滑路——担风险
挑水带洗菜——两不耽误
挑水的扁担——长不了
挑沙罐下悬崖——家败人亡
挑水的逃荒——背井离乡
挑着扁担长征——任重道远

挑着大粪放屁——臭味相投
跳大神的翻白眼——没咒念
跳到黄河洗不清——太冤枉
跳梁小丑——上蹿下跳
跳舞的脚步——有进有退
跳蚤放屁——小气
铁杵磨绣针——非一日之功
铁锤打夯——层层着实
铁打的饭碗——砸不坏，摔不破
铁公鸡请客——一毛不拔
铁拐李的葫芦——不知卖的啥药
铁拐李跳舞——摆不平
铁拐李走路——一摇三摆
铁拐李把眼挤——你哄我，我哄你
铁拐李摆摊——蹩脚货
铁拐李的脚——长短不齐
铁拐李落难卖打药——总会碰到识货人
铁拐李卖跌打药——货真价实
铁拐李碰着吕洞宾——顾嘴不顾身
铁拐李走独木桥——够呛；走险
铁将军把门——家中无人
铁匠拆炉子——散伙(火)
铁匠的围腰——漏洞多
铁匠夸徒弟——打得好
铁匠骂徒弟——不会打
铁匠铺开门——动手就打
铁匠生炉子——扇风点火
铁匠使凿子——斩钉截铁
铁路警察——各管一段
铁路警察摆手——管不着那一段

铁球掉在江心里——团圆到底

铁人不怕棍——身子硬

铁板上炒豆子——熟了就崩

铁板上钉钉——有板有眼

铁炊帚刷铁锅——都是硬货

铁锤打纸鼓——不堪一击

铁锤砸核桃——粉身碎骨

铁锤砸在被窝里——没反应

铁打的葫芦——不开窍

铁打的馒头——啃不动

铁打的脑袋——不转向

铁打的围墙——不透风

铁拐李把眼挤——你哄我，我哄你

铁人生锈——害自身

铁人遭棍打——不屈不挠

铁刷子抓痒——道道多

铁屑见磁石——密不可分

铁嘴豆腐脚——能说不能行

听鼓书抹眼泪——有情人

听见猫叫骨头酥——胆小如鼠

听评书流泪——替古人担忧

亭子里谈心——讲风凉话

通天的深井——摸不着底

铜钱当眼镜——一切向钱看

铜钱眼里打秋千——小人

铜头戴了铁帽子——双保险

童养媳当婆婆——慢慢熬

童养媳拿钥匙——做不了主

瞳孔里挑刺——故意找岔

痛快妈哭痛快——痛快死了

偷吃的猫儿——记吃不记打
偷汉子摔罐子——丢人打家伙
偷鸡不成蚀把米——得不偿失
偷来的喇叭——吹不得
偷猪不成摸只鸡——不落空
投机商做买卖——招摇撞骗
投石问路——试试深浅
头穿袜子脚戴帽——一切颠倒
头戴背篓进城隍庙——想充大头鬼
头当斗笠，背当蓑衣——自欺欺人
头顶轿子——抬举人
头发打摆子——毛病
头发纺纱——不合股；合不了股
头发胡子一把抓——理不清
头发冒烟——恼(脑)火
头发丝穿豆腐——别提了
头发丝打结——难解难分
头皮上擦火柴——划不着
头上插鸡翎——好威风
头上插扇子——大出风头
头上穿袜子——能出脚来了
头上点灯——惟我高明
头上顶鱼篓——想戴高帽子
头上站鸭子——顶呱呱
头上长角——荒唐
头上长秃疮——顶坏；坏到顶了
头上着火——不救自危
头痒抓脚板——找错了地方
头长疔疮，脚烂趾头——两头不落一头
头顶磨盘——不知轻重

头顶上长眼睛——目空一切

头顶生目，脚下长手——眼高手低

头发丝吊大钟——千钧一发

头发丝上刻仕女图——入细入微

头上害疮——坏到顶了

头上砍一刀——伤脑筋

头上长疮，脚底流脓——坏透了

头上长疙瘩——额外负担

头上长犄角——比别人出格

头枕元宝——守财奴

秃顶人的头发——稀少

秃鸡过冬——难熬

秃子不要笑和尚——脱了帽子都一样

秃子打赤脚——两头光

秃子打伞——无法(发)无天

秃子当皇上——不要王法(发)

秃子的头皮——不毛之地

秃子改和尚——不费劲

秃子眼前讲理发——惹人多心

秃子跟着月亮走——借光

秃子进庙——充数

秃子留背头——精神可佳

秃子留分头——不够格

秃子脑袋当玩具——耍滑头

秃子碰上和尚庙——以假冒真

秃子头上插花——调(挑)皮

秃子头上的虱子——明摆着

秃子头上抹油——滑头滑脑

秃子照镜子——回光返照

图书馆的家当——尽是输(书)

图书馆失火——自然(字燃)

屠场里的肥猪——等死

屠夫家里的肥猪——早晚要杀

屠夫挑内脏——两头担心

屠户的账本——血债累累

土地公和土地婆——孤寡一对

土地喊城隍——神乎(呼)其神

土地佬买弹弓——玩心不退

土地佬升参谋——诡(鬼)计多端

土地庙的横批——有求必应

土地庙没顶——神气通天

土地奶奶放屁——好神气

土地奶奶跟王母娘娘比美——天地之别

土地女儿嫁玉皇——一步登天

土地爷搬家——走了神

土地爷打算盘——神机妙算

土地爷的五脏——实(石)心实(石)肠

土地爷跟城隍打架——神鬼不安

土地爷管龙王——以上压下

土地爷开银行——钱能通神

土地爷啃地瓜——窝囊神

土地爷理发——鬼头鬼脑

土地爷下水——自身难保

土地爷遇着开路神——长短不齐

土地爷捉迷藏——神出鬼没

土豆下山——滚蛋

土豆子搬家——滚蛋

土匪骑疯狗——恶人凶马

土佛玩水——自身难保

土岗子上闹旱灾——山穷水尽

土里埋金——有内才(财)
土埋了大半截的人——没多大奔头
土杏仁拌苦瓜——苦上加苦
土做的人儿——实心眼
吐口唾沫砸个坑——出口有分量
兔子扒窝——安家落户
兔子蹦到车辕上——假充大把势(车把势,赶大车的人)
兔子打架——上蹿下跳
兔子逗老鹰——自取其祸
兔子见鹰——如临大敌
兔子叫门——送上门的肉
兔子靠腿狼靠牙——各有各的谋生法
兔子满山跑——还来归旧窝
兔子跑到磨道里——假充大耳朵驴
兔子群里一只虎——庞然大物
兔子生耗子——一窝不如一窝
兔子尾巴——长不了
兔子枕着猎枪睡——胆大包天
兔子枕着鸟枪睡——自找不自在
兔子坐上虎皮椅——六神无主
推开天窗——说亮话
推磨挨磨棍——费力不讨好
推人下井还要滚石头——害人不浅
推土机的大铲——吃苦在前
推土机进茅草地——斩草除根
腿肚子搽粉——过分讲究
腿肚子抽筋——寸步难行
腿肚子上贴门神——人走家搬
腿瘸头歪屁股肿——不是好人
腿上绑轮子——跑得快

腿上绑绳子——拉倒
腿上贴邮票——走人了
退潮的海滩——水落石出
吞金自杀——人财两空
吞了烟袋油的蛇——离死不远
托着扁担过马路——横行霸道
脱祸求财——时来运转
脱裤子放屁——多一道手续
脱了轨的火车——翻了
脱了旧鞋换新鞋——改邪(鞋)归正
脱了裤子打扇——卖弄风流
脱了毛的刷子——有板眼;有板有眼
脱了毛的鹰——神气不了
脱毛的凤凰——不值钱的货
拖车拉泰山——大头在后面
拖拉机爆胎——好大的气
拖拉机加油——来劲了
拖拉机转弯——卷土重来
陀螺屁股——立场不稳
驼背上山——不敢回头
驼子背火球——烧包
驼子背上压石头——加重负担
驼子跛子睡一床——七拱八翘
驼子穿背心——遮不了丑
驼子打伞——背时(湿)
驼子坏了腰——卑躬(背弓)屈膝
驼子拣针——伸手就是
驼子进棺材——两头翘
驼子作揖——出手不高

W

挖人墙脚补自己缺口——净干缺德事

挖肉补脸蛋——忍痛图好看

挖鼻屎当盐吃——吝啬鬼

挖耳勺打酒——不是正经东西

挖耳勺里炒黄豆——一个个来

挖耳勺里炒芝麻——油水不大

挖耳勺刨地——小抠

挖耳勺舀米汤——无济于事

挖耳勺舀海水——不显眼

挖好肉补烂疮——犯不着

挖井碰见喷泉——好极了

挖肉补脸——忍痛图好看

挖窑挖到牢里——自找罪受

娃娃摆积木——不成重来

娃娃吹喇叭——小气

娃娃吹泡泡糖——口气不大

娃娃当家——小人得志

娃娃掉到糨糊盆里——糊涂人

娃娃掉在阴沟里——臭人

娃娃逗狗——回头一口

娃娃逗娃娃——嘻嘻哈哈

娃娃嚼泡泡糖——吞吞吐吐

娃娃看飞机——人小见识高

娃娃耍刺猬——抱着嫌扎手，丢又舍不得

娃娃贴对子——不分上下

娃娃头上顶磨盘——压趴了

娃娃推平头——一扫光

娃娃玩菜刀——不是玩艺

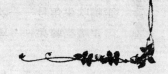

娃娃玩的糖人儿——吹起来了
娃娃玩陀螺——原地打转
娃娃鱼爬上树——不算人
娃娃鱼跳龙门——碰得头破血流
娃娃长胡子——小毛病
瓦罐里冒烟——土里土气;土气大
瓦罐子和土坯子——一路货
瓦片上凿洞——捅漏子
瓦上的窟窿——漏洞
袜子当帽子——臭出头了
袜子头上戴——上下不分
歪脖子出征——扭头就走
歪脖子当扒手——贼相难看
歪脖子看手表——观点不正
歪脖子看天——扭着劲
歪脖子看戏——斜眼瞧人
歪脖子树——成不了材
歪脖子树上结歪梨——不成正果
歪苗长歪树——根子不正
歪墙开旁门——邪(斜)门
歪上轴承斜上轴——没安好心
歪头看戏怪台斜——无理取闹
歪歪嘴跌跤——错上错下
歪着头跑步——走邪(斜)路;不走正路
歪嘴吹灯——风气不正
歪嘴吹海螺——两将就
歪嘴吹号——正气不足,邪(斜)气有余
歪嘴吹喇叭——一团邪(斜)气
歪嘴吹牛角号——以歪就歪
歪嘴当骑兵——马上丢人

歪嘴和尚——念不了好经

歪嘴讲故事——邪说

歪嘴烂舌头——说不出好话来

歪嘴上讲台——活现眼

歪嘴照镜子——当面出丑

外行人看魔术——莫名其妙

外贸商品不合格——难出口

外婆死了儿——没救(舅)

外甥不在家——有救(舅)

外甥打灯笼——照旧(舅)

外甥打舅——公事公办

外甥当女婿——亲上加亲

外甥赴外公的宴席——不客气

外乡人过河——不知深浅

剜了眼的判官——瞎鬼

弯扁担吹火——一窍(翘)不通

弯扁担打蛇——两头不着实

弯镰打菜刀——改邪(斜)归正

弯藤结歪瓜——孬种;不是好种

弯铁条割麦子——拉倒

玩把式的绝技——耍花招

玩猴的丢了锣——虚张声势

玩猴的耍狐狸——不害臊;不知臊

玩火烧自身——自作自受

玩具店里的刀枪——中看不中用

玩具店里的洋娃娃——小手小脚

玩具娃娃暖被窝——热不了

玩木偶拉绳子——幕后操纵

玩狮舞戴道具——改头换面

玩戏法的下跪——没咒念

碗边上落苍蝇——混饭吃
碗碴子剃头——难受
碗橱里打老鼠——难下手
碗底朝天——空空如也
碗底的豆子——历历(粒粒)在目
晚点的火车——赶得上
晚期肺结核——空空洞洞
晚上干活——披星戴月
万岁爷的顺民——安分守己
万岁爷卖包子——御驾亲征(蒸)
万岁爷剃头——不要王法(发)
万丈悬崖上的鲜花——没人睬(采)
万丈崖上的野葡萄——够不着
汪精卫照镜子——一副奸相
王八背着两面镜——人前一面,人后一面
王八吃鞭炮——憋气又窝火
王八吃秤锤——铁了心
王八吃饵钩——自己找死
王八吃柳条——满肚子瞎编
王八吃煤球——心肠黑
王八吃元宵——小混蛋
王八出水——露一鼻子
王八的脖子——能伸能缩
王八肚子上插鸡毛——归(龟)心似箭
王八肚子一根枪——归(龟)心似箭
王八翻跟头——窝脖
王八盖上插蜡扦——鬼(龟)火直冒
王八敬神——上不了台盘;上不了席
王八看绿豆——对上眼了
王八嗑瓜子——吃香

王八卖笊篱——鳖编的

王八爬门槛——只看这一跌

王八拍着盖子吹牛——自圆其说

王八配乌龟——一路货

王八碰桥墩——不敢露头

王八上岸遇雹子——缩头缩脑

王八玩把式——翻了

王八下陡坡——滚的滚，爬的爬

王八笑乌龟——彼此彼此

王八咬人——叼住不放

王八照镜子——鳖形

王八钻鼠洞——大概(盖)难办

王八坐月子——完(玩)蛋

王宝钏爱上叫花子——有远见

王宝钏等薛平贵——忠贞不渝

王二麻子挨打——敲到点子上

王二麻子打哈欠——全面动员

王二麻子当军师——点子多

王二麻子照镜子——个人观点

王府的差役——难当

王府的管家——欺上瞒下

王府的管家，相府的丫鬟——有职无权

王老虎抢亲——弄巧成拙

王麻子的剪刀——名牌货

王麻子的外号——坑人

王麻子种牛痘——后悔已晚

王莽使令——朝令夕改

王母娘娘得子——天大喜事

王母娘娘缝花袄——神聊(缭)

王母娘娘开蟠桃会——聚精会神

王母娘娘盼吃蒿菜饭——想野味

王母娘娘走亲戚——腾云驾雾

王婆骂街——四邻皆知

王婆卖瓜——自卖自夸

王七的弟弟——王八

王熙凤的为人——两面三刀

王熙凤管家——大有大的难处

王熙凤弄权——聪明反被聪明误

王羲之的字帖——别具一格

王羲之看鹅——专心致志

王瞎子看告示——装模作样

王小二过年——一年不如一年

王小二开饭店——看人下菜碟

王小二卖瓜——自卖自夸

王小二敲锣——穷得叮当响

王爷的宅院——层层深入

王字少一横——有点土

网兜打水——一场空

网兜装猪崽——露了蹄

网外捉鱼——捞外快

网中抓鱼——笃定

往别人脸上吐口水——欺人太甚

往喝过水的井里吐唾沫——忘恩负义

往黄河里灌水——不起作用

往炉灶里泼水——憋气又窝火

往袜子上钉鞋掌——找错了地方

望江亭上度中秋——近水楼台先得月

望乡台上搽胭脂——死要面子

望乡台上吹口哨——不知死活

望乡台上掉眼泪——死得好苦

望乡台上抢骨头——馋鬼
望乡台上抢元宝——贪心鬼
望乡台上戏牡丹——死风流
望远镜观天——一孔之见
望远镜照太平洋——一望无涯
望着高炉发愣——恨铁不成钢
围棋盘里下象棋——不对路数
围着火炉吃冰糕——不知冷热
围着火炉吃西瓜——身上暖烘烘,心里甜滋滋
围着火炉喝白干——周身火热
围着叫花子逗乐——拿穷人开心
维吾尔姑娘的辫子——一抓就是一把
维吾尔族的朵帕——顶好
维吾尔族的姑娘——辫子多
桅杆顶上吹唢呐——四方闻名(鸣)
桅杆顶上挂鱼网——空张罗
桅杆顶上耍把戏——爬得高,跌得重
桅杆尖上的猴子——到顶了
桅杆上吊布袋——装疯(风)
桅杆上耍猴戏——到顶了
桅杆上响喇叭——高调
未猜灯谜先揭底——不打自招
卫生口罩——嘴上一套
卫星上天——远走高飞
卫懿公养仙鹤——忘了国家大事
为人作嫁——徒劳无功
温度计掉冰箱——直线下降
温泉里洗澡——泡病号
温室里种庄稼——旱涝保收
温汤罐里煮甲鱼——不死不活

文盲读《圣经》——两眼墨黑
文盲贴对子——上下不分
文武大臣见皇上——三拜九叩
蚊子唱小曲儿——要叮人
蚊子打哈欠——好大的口气
蚊子的脑袋——大不了
蚊子叮观音——看错了人
蚊子叮鸡蛋——无孔不入
蚊子肚里找肝胆——故意刁难
蚊子放屁——小气
蚊子飞到电灯上——弃暗投明
蚊子落在蜘蛛网上——脱不了身
蚊子头上长疮——脓水不大
蚊子找蜘蛛——自投罗网
问客杀鸡——虚情假意
瓮中鳖盘中鱼——跑不了
瓮中的乌龟——处处碰壁
瓮中之鳖——走投无路
瓮中捉鳖——手到擒来
蜗牛背“房子”——只顾自己
蜗牛耕田——费力不小，收获不大
蜗牛爬到电杆顶——惟我独尊
蜗牛爬上葡萄树——光想高味
蜗牛爬树——想高升
蜗牛赴宴——不速之客
蜗牛赛跑——慢慢来
窝里的蛇——不知长短
窝头上蒸笼——盖了帽了
窝窝头进贡——穷尽忠
窝窝头上坟——骗鬼；哄死人

窝主分赃——坐享其成
我心似你心——心心相印
乌龟变黄鳝——解甲归田
乌龟吃王八——六亲不认
乌龟吃乌贼——黑心王八
乌龟出口——活宝
乌龟打架——硬碰硬
乌龟的后代——龟儿子
乌龟的脑壳——伸伸缩缩
乌龟垫床脚——死撑；硬顶
乌龟肚子朝天——动弹不得
乌龟看天——伸伸缩缩
乌龟壳上贴广告——牌子硬
乌龟落秤盘——自称自
乌龟爬门槛——早晚要栽跟头
乌龟碰壁——得缩头时且缩头
乌龟请客——尽是王八
乌龟吞煤球——黑心王八
乌龟腿上绑老鹰——想飞飞不了，想爬爬不动
乌龟想骑凤凰背——痴心妄想
乌龟咬王八——一家人不识一家人
乌龟遭棒打——缩头缩脑；不露头
乌龟找甲鱼——一路货
乌龟整臭虫——铺天盖地
乌龟钻灶——扒灰
乌鸦唱山歌——不堪入耳
乌鸦当头过——不祥之兆
乌鸦的下水——黑心
乌鸦落房头——开口是祸
乌鸦落在猪身上——黑上加黑

乌鸦攀高枝——站惯了的
乌鸦笑猪——光看别人黑，不见自己黑
乌鸦一字飞——一溜黑货
乌贼吐墨——蒙混人
污水坑里竖旗杆——臭光棍
屋顶上戳窟窿——捅漏子
屋脊上贴告示——天知道
屋里筑篱笆——一家分两家
屋漏偏遭连阴雨，船破又遇顶头风——祸不单行
屋门口的穿衣镜——正大光明
屋檐水滴窝窝——点点不差
屋檐下的冰凌——根子在上头
屋子里开煤铺——倒霉(捣煤)到家了
巫婆打把式——装神弄鬼
巫婆改行——不足信；没人信
巫婆看病——妖言惑众
巫婆神汉跳大神——歪门邪道
巫师转行——弃恶从善
无柄的菜刀——没有把握
无舵的船——随波逐流
无儿无女的老寡妇——绝后
无风不起浪——事出有因
无根的浮萍——漂浮不定
无花的蔷薇——浑身是刺
无赖打路人——无理取闹
无米的花生壳——肚里空
无蜜的蜂房——空洞
无目的放炮——乱轰
无事钻烟囱——自己给自己抹黑
无王的蜜蜂——乱了群

无心的蜡烛——点不亮

无弦的琵琶——谈(弹)不得

吴三桂引清兵——吃里爬外

蜈蚣遇到眼镜蛇——一个比一个毒

午后见太阳——每况愈下

忤逆子讲《孝经》——假做作

武大郎的脚趾头——一个好的也没有

武大郎的身子——不够尺寸

武大郎肚子痛——死到临头

武大郎开店——容不得人

武大郎扛抢——邋遢兵

武大郎看飞机——眼界不高

武大郎卖面包——人土货洋

武大郎攀杠子——上下够不着

武大郎骑骆驼——能上不能下

武大郎娶妻——凶多吉少

武大郎耍棍子——人熊家伙笨

武大郎玩鸭子——什么人玩什么鸟

武大郎捉奸——反被害了性命

武大郎坐天下——无人敢保

武大郎做知县——出身不高

武科场上选将——有本事就上

武松打虎——一举成名

武松打猫——小意思

武松打兔子——英雄无用武之地

武松喝啤酒——不过瘾

武松景阳冈上遇大虫(老虎)——不是虎死,就是人伤

武松卖刺猬——人强货扎手

武松绣花——胆大心细

舞台上拜天地——痛快一时

舞台上的二人转——一唱一和

舞台上的皮影戏——幕后操纵

五百罗汉斗观音——兴师动众

五百铜板两下分——二百五

五百铜钱串两处——半吊子

五尺深的浑水潭——看不透

五朵梅花开一朵——四肢(枝)无力

五个和尚化缘——三心二意

五个指头——一把手

五个指头两边矮——三长两短

五更天唱曲子——高兴得太早了

五更天的梆子——处处挨打

五更天的星星——稀少

五更天烤火——弃暗投明

五更天起床——渐渐明白

五更天下大雪——天明地白

五更天下海——赶潮流

五花大肉——有肥有瘦

五黄六月长疥疮——热闹(挠)

五十两元宝——一定(锭)

五台山上拜佛——烧高香

五月端午的黄花鱼——正在盛市上

五月里打摆子——忽冷忽热

五脏六腑抹蜜糖——甜在心上

伍子胥过昭关——一夜愁白了头

捂着鼻子讲卫生——不闻不问

雾中照相——眉目不清

雾中追车——路线不明

X

稀饭锅里扔铁砣——混蛋到底

稀饭铺路——一塌糊涂

膝盖上钉掌——离题(蹄)太远

膝痒抓背——处事不当

西瓜地里落冰雹——砸啦

西瓜地里散步——左右逢源(圆)

西施上庵堂——美妙(庙)

西太后听政——尽出鬼点子

媳妇向公公借钱——挪用公款

喜马拉雅山上摆手——高招

喜马拉雅山上卖牛黄——又高又贵

洗脚水倒在秧田里——物尽其用

洗脚水倒在阴沟里——臭到一块了

戏台上的皇帝——假威风

戏台上的将军——神气一时

戏台上堵抢眼——死不了

戏台上赌咒——口是心非

戏台上喝酒——不见得有

戏台上跑龙套——摇旗呐喊

戏台上送诏书——假传圣旨

戏台子下读《四书》——闹中取静

戏园子失火——彻底垮台

戏子没卸装——油头粉面

瞎爹背着瞎儿子——忙(盲)上加忙(盲)

瞎猫碰着死耗子——凑巧了;赶得巧

瞎妹子当媒人——自顾不暇

瞎子拜见岳父——有眼不识泰山

瞎子背拐子——取长补短

瞎子奔南墙——不碰不回头

瞎子吃苍蝇——眼不见为净

瞎子吃馄饨——心中有数

瞎子出门——盲目行动

瞎子打灯笼——看不到前程

瞎子打哈哈——盲目乐观

瞎子打瞌睡——不显眼

瞎子戴墨镜——遮人眼目

瞎子点灯——白费蜡

瞎子跟着绳子走——摸索前进

瞎子过鱼鳞坑——栽不完的跟头

瞎子害耳病——闭目塞听

瞎子叫好——随声附和

瞎子进学堂——不认输(书)

瞎子敬神——盲目崇拜

瞎子看书——观点不明

瞎子看哑剧——一无所获

瞎子骑驴——一条道走到黑

瞎子染布——不知深浅

瞎子讨饭——摸不着门道

瞎子听见狗叫——有门了

瞎子摘葫芦——顺藤摸瓜

瞎子走路——不分日夜

下地不穿鞋——脚踏实地

下雪天穿裙子——美丽又动(冻)人

下眼泡肿大——眼朝上;眼向上看

仙姑思凡——心野了

仙鹤打架——绕脖子

仙女的裙子——拖拖拉拉

掀菩萨烧庙——无恶不作

鲜花插在牛屎上——配不上；不配

闲人生闲气——无事生非

现代人穿古装——不是时候

县太爷放屁——官气臭人

县堂门口打鼓——鸣冤叫屈

相媳妇的扭头——看不上眼

香水洗夜壶——臊气还在

象棋斗胜——纸上谈兵

橡皮擦子——有错就改

相机对准马屁股——拍马屁

相片扔到大海里——丢人不知深浅

项羽砸锅——破釜沉舟

巷窄遇仇人——狭路相逢

小虫吃李子——心里肯（啃）

小虫子啃沙梨——暗里使坏

小丑化装——粉墨登场

小丑跳梁——自取灭亡

小葱拌豆腐——一清（青）二白

小豆干饭搀苦瓜——苦闷（焖）

小贩卖气球——买空卖空

小寡妇上坟——越哭越伤心

小寡妇坐轿——喜事来了；破涕为笑

小鬼吹火——扇阴风

小鬼面前告阎王——找错了对象

小孩出麻疹——千孔百疮

小孩拿辣椒——辣手

小河通大江——细水长流

小和尚念经——有口无心

小鸡不撒尿——自有便道

小鸡吃食——点头哈腰

小鸡下蛋——憋红了脸
小脚老太太缠脚——裹足不前
小老鼠上灯台——有去无回
小炉匠戴眼镜——专找碴子
小猫拉屎——遮遮盖盖
小毛驴戴耳环——累赘
小蜜蜂说话——甜言蜜语
小拇指翘起——倒数第一;最后一名
小木匠干活——东一句(锯),西一句(锯)
小偷报警——贼喊捉贼
小偷不用化装——贼头贼脑
小偷的老婆当妓女——男盗女娼
小偷盯耗子——贼眉鼠眼
小偷击鼓进大堂——恶人先告状
小偷上房——不动声色
小媳妇讨饭——死心眼
小媳妇坐轿——靠众人抬举
小学生看书——念念不忘
小猪拱粮囤——记吃不记打
小猪抢食——吃里爬(扒)外
孝帽掉进靛缸里——格外出色
蝎虎子断尾巴——脱身之计
蝎虎子上墙——无孔不入
蝎虎子掀门帘——露一小手
蝎子炒辣椒——又毒又辣
蝎子戴礼帽——小毒人
蝎子的尾巴后娘的心——最毒
蝎子放屁——毒气冲天
蝎子翘尾巴——好毒的一招
蝎子撒尿——毒汁四溅

蝎子战蜈蚣——以毒攻毒

蝎子钻进墙缝里——暗伤人;暗里伤人

鞋帮店里失火——丢面子;失面子

鞋底儿抹油——溜啦

鞋头上刺花——前程似锦

斜嘴开口——尽说歪话

谢安做官——东山再起

卸磨杀驴——忘恩负义

心坎上挂笊篱——劳(捞)心了

心肝里头结了两个茄子——三心二意

心里摆不正大秤砣——偏心眼

心里头结冰块——凉透心;冷透心

心里装着长江水——平静不了

心眼像蜂窝——窍门多

心肝掉在肚里头——放心

心口挂灯笼——心照不宣

心口上挂秤砣——称心

心口窝里跑马——宽宏大量

心里头长草——慌(荒)了

心有灵犀——一点通

心字头上一把刀——忍了

新科状元招驸马——喜上加喜

新郎官戴孝——悲喜交加

新棉袄打补丁——装穷

新娘子咬生馒头——人生面不熟

新女婿请接生婆——双喜临门

新媳妇怀孕——暗喜

新科状元哭爹——乐极生悲

新郎官揭盖头——真相大白

新娘子进了屋,媒人扔过墙——忘恩负义

新媳妇不上轿——不识抬举
新媳妇坐轿——头一回
刑法条文糊衣裳——满身的罪名
行礼掉屁股——不知好歹
行军遇伏兵——出师不利
行盗遇火灾——趁火打劫
行船不划桨——随大流
行云流水——难以捉摸
行路人换草鞋——弃旧图新
行医的捎带卖棺材——死活都要钱
杏花村的酒——后劲大
胸腹透视——肝胆相照
胸口挂冰棍——寒心
胸口挂秤砣——心里负担太重
胸口挂算盘——心中有数
胸口拉弦子——乐开怀
胸口烙饼——热心肠
胸口塞羊毛——乱糟糟
胸口上揣棉花——心软
胸口上挂剪刀——独出心裁
胸口贴膏药——伤心;心里有病
胸口贴相片——心上人
胸口掖扁担——横了心
胸口安雷管——心胆俱裂
胸口摆天平——称心
胸口放磨盘——推心置腹
胸口挂琵琶——谈(弹)心
胸口挂邮包——满怀信心
胸口画娃娃——心上人
胸口长瘤子——有外心;生了外心

胸口长牙齿——怀恨在心
胸脯中了箭——伤透心;伤心
胸前划十字——上帝保佑
胸膛开鲜花——心里美
胸膛里掏走了五脏——心虚
兄弟二人猜拳——哥俩好
熊瞎子拜年——不敢受这个礼
熊瞎子上戏台——熊样
修脚带拔牙——上下兼顾
朽木搭桥——难过
朽木棺材——坑死人
朽木作梁柱——无用之材
秀才背书——出口成章
秀才打架——讲礼
秀才当兵——能文能武;文武双全
秀才家里失火——酸气冲天
秀才看热闹——袖手旁观
秀才拿笤帚——斯文扫地
秀才闹饥荒——咬文嚼字
秀才弃学——半途而废
秀才偷电筒——明人不做暗事
秀才偷罗巾——识文不识理
秀才偷书——斯文扫地
秀才推磨——难为圣人
秀才写书——肚里有货
秀才行凶——一笔抹杀
秀才遇见兵——有理说不清
秀才造反——三年不成
绣花姑娘打架——针锋相对
绣花姑娘的手艺——穿针引线

绣花姑娘打老虎——胆大心细
绣花姑娘的家什——真(针)好
绣花姑娘缝绣衣——千真(针)万真(针)
绣花枕头稻草心——肚里没好货
绣花枕头一包糠——表里不一
绣花针碰上吸铁石——沾上了
绣花枕头——华而不实;一包草
袖筒里揣刀子——暗藏杀机
袖筒里伸出驴蹄——不是好手
袖筒里伸出一只脚——夸大手
袖筒里伸爪爪——露一小手
袖筒里捅宝剑——杀人不露锋
袖筒里捅斧子——出手就砍
袖筒子扫死人——好威风
徐庶进曹营——一言不发
徐庶在曹营——身不由己
许仙碰见白娘子——天配良缘
宣传车演节目——载歌载舞
漩涡里洗澡——越陷越深
玄妙观的家当——头头是道
悬崖边止步——停止不前
悬崖上扭秧歌——高兴到头了
悬崖上跳高——一落千丈
选帽子挑鞋子——评头论足
旋风吹到嘴里——邪风入内
薛仁贵的行头——白跑(袍)
学理发碰上大胡子——难题(剃)
雪地里埋死马——露马脚
雪地里埋死人——瞒不住
雪地里照脸——没影的事

雪地里抓逃犯——跟踪追击
雪里埋人——久后分明
雪里送炭——暖人心
雪山日出——天明地白
寻财神闯到穷鬼窝——找错了门
驯马骑屁股——寻着挨摔
巡警打舅子——公事公办

Y

鸭子吵棚——闹翻天
鸭子吃田螺——眼朝上
鸭子的脚板——联成一片
鸭子的屁股——爱翘；圆滑
鸭子浮水——上松下紧
鸭子过河——随大流
鸭棚老汉睡懒觉——不简单（捡蛋）
鸭子不吃瘪谷——肚里有货
鸭子不尿尿——自有便道
鸭子改鸡——磨嘴皮
鸭子听雷——不知所云；茫然不懂
鸭子喊伴——呱呱叫
鸭子逛大街——大摇大摆
鸭子上架——逼出来的
鸭子扎猛子——深入下层
牙长手短——好吃懒做
牙齿和舌头打架——伤不了和气
牙齿咬掉嘴唇——自害自；自吃自
牙齿咬舌头——误会
牙缝里剔肉吃——解不了馋；不过瘾
牙缝里找痔疮——外行

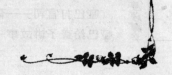

牙膏的脾气——不挤不出
牙医治牙病——硬钻
衙门的灯笼——正大光明
衙门的钱，下水的船——来得易，去得快
衙门口打警察——没事找事
衙门口打转悠——想捞顶乌纱帽
衙门里打电话——官腔官调
衙门里的酷吏，宅门里的狗——仗势欺人
衙门前贴告示——官样文章
衙役棒打叫花子——仗势欺人
衙役的脸——说变就变
哑巴挨打——有苦难诉
哑巴挨骂——气不可言
哑巴挨冤枉——有口难辩
哑巴比划——说不清，听不明
哑巴吃黄连——有苦说不出
哑巴吃馄饨——肚里有数
哑巴吃仙桃——妙不可言
哑巴打呵欠——忍气吞声
哑巴打电话——语言不通
哑巴逮驴——闷着头干
哑巴瞪眼睛——心里恨
哑巴肚里挂算盘——心中自有巧打算
哑巴对话——装腔作势
哑巴受刑——痛死不开腔
哑巴唱戏——没腔
哑巴吃蝎子——痛不可言
哑巴传话，呆子打岔——说不清楚
哑巴打官司——有理说不清
哑巴给聋子讲故事——两不懂

哑巴喊救火——干着急说不出
哑巴见了面——无话可说
哑巴申冤——有口难辩
哑巴说话——只可意会,不可言传
哑巴谈恋爱——好得没法说
哑巴做梦——说不得
哑巴祭祖先——多磕头,少说话
哑巴见了妈——苦衷难诉
哑巴讲演——指手画脚
哑巴开会——没说的
哑巴看到失火——不好声张
哑巴咧嘴——不像话
哑巴求医——说不出的毛病
哑巴拾金条——喜不可言
哑巴说大象——不可言状
哑巴说话聋子听——两不懂
哑巴受奖——喜在心里;喜不可言
哑巴咬牙——心里恨
哑巴作报告——张口结舌
哑巴做和尚——妙(庙)不可言
哑巴教书——难讲
哑巴踢毽子——心中有数
垭口上的新闻——道听途说
淹死鬼拉人下水——阴魂不散
淹死鬼使计谋——勾别人下水
淹死鬼打替身——借尸还魂
阉猪的割耳朵——外行
烟囱被堵塞——不通气
烟囱不冒烟——赌(堵)气;窝火
烟囱里屙屎——出臭风头;臭气熏天

烟囱里放醋坛——酸气冲天
烟囱里招手——往黑处引
烟囱上面放棺材——熏死人
烟袋杆子——黑心;黑了心
烟头掉在口袋里——烧包
胭脂当粉搽——闹了个大红脸
阎罗王做生意——鬼都不上门
阎王扮观音——非神即鬼
阎王打判官——鬼打鬼
阎王的客堂——死去活来
阎王的蒲扇——扇阴风
阎王的爷爷——老鬼
阎王殿里玩戏法——鬼花招
阎王发令箭——要命
阎王翻跟头——鬼花招
阎王给小鬼拜年——弄颠倒了
阎王叫门——活不长
阎王奶奶害喜病——怀鬼胎
阎王讨债——催命鬼
阎王涂水彩——色鬼
阎王写文章——鬼话连篇
阎王爷不戴帽子——鬼头鬼脑
阎王爷吃黄豆——鬼吵(炒)
阎王爷抽烟——鬼火直冒
阎王爷出天花——净是鬼点子;鬼点子多
阎王爷的扇子——两面阴
阎王爷点生死簿——一笔勾销
阎王爷讲故事——鬼话连篇
阎王爷啃猪头——馋鬼
阎王爷请客——净是鬼

阎王爷上吊——短命鬼
阎王爷讨饭——穷鬼
阎王爷贴告示——鬼话连篇
阎王爷照相——鬼头鬼脑
沿着盘山道上山——走弯路
严嵩收礼——来者不拒
炎夏天打冷战——不寒而栗
盐场里罢工——闲(咸)得慌
盐场里的下水——到哪里哪里嫌(咸)
盐店的老板——爱管闲(咸)事
盐店里挂弓——闲谈(咸弹)
盐店里卖气球——闲(咸)极生非(飞)
盐店里谈天——闲(咸)话多
盐库里的管理员——爱管闲(咸)事
盐库里冒烟——生闲(咸)气
盐老板拉电线——闲(咸)扯
颜料店的抹布——分不清青红皂白
掩耳盗铃——自欺欺人
演双簧的——一唱一和
演古戏打破锣——陈词滥调
演完越剧唱京戏——南腔北调
演戏瞪眼睛——吓不住人
演双簧戏的表演——装腔作势
演戏扮皇帝——神气一时
演戏扮司令——假威风
演员化装——涂脂抹粉
演员卸装——真相大白
演员谢幕——该下台了
眼过千遍不如手过一遍——贵在实践
眼睛盯着鼻尖——只看一寸远;目光短浅

眼睛看透三层壁——好眼力
眼睛上贴钞票——认钱不认人
眼睛上出芽子——不是好苗头
眼镜店里的交易——各投各眼
眼镜上贴膏药——遮人眼目
眼皮子上搽胭脂——眼红
眼睛长在鼻尖下——悲观失望
眼睛长在耳朵边上——有偏见
眼睛长在后脑勺——朝后看
眼镜蛇打喷嚏——满嘴放毒
眼泪往肚里流——说不出的苦
眼里插棒槌——受不了
眼皮上吊炊帚——耍(刷)嘴
眼瞎耳聋鼻塞嘴哑——一窍不通
燕子口中夺泥——细索求
燕雀叫三年——空话一句
燕子的尾巴——两岔
燕子造窝——嘴巴辛苦
宴席上吵架——不欢而散
雁过拔根毛——财迷心窍;财迷
羊吃青草猫吃鼠——各人有各人的福
羊粪蛋下山——滚蛋
羊圈里关狼——自招祸灾
羊圈里跳出个驴来——显大个儿
羊群里的大象——突出
羊群里的骆驼,鸡群里的仙鹤——与众不同
羊肉汤里的萝卜——骚货
羊子不长角——狗头狗脑
洋鬼子看戏——傻了眼
杨白劳过年——躲躲闪闪

杨二郎的兵器——两面三刀
杨家将出征——男女老少齐上阵
杨令公的儿子——一个赛一个
杨乃武坐牢——屈打成招
杨五郎削发——半路出家
杨宗保和穆桂英的姻缘——打出来的
仰脸婆娘低头汉——难斗难缠
仰着脖子吹唢呐——起高调
腰鼓上装弹簧——能曲能伸
腰里别算盘——时刻为个人打算
腰里插笊篱——走到哪捞到哪
腰里插竹竿——横生枝节；横行霸道
摇着拨浪鼓卖糖——里外响
摇着扇子聊天——谈笑风生
药材店里的抹台布——五味俱全
药罐子里的枣——虚胖
药铺里卖棺材——往最坏处想
药铺里招手——把人往苦处引
药王爷的肚子——苦水多
药王爷的嘴——吃尽了苦头
要饭的拜把子——患难之交
要饭的打摆子——穷哆嗦
要饭的打竹板——耍贫嘴
要饭的借算盘——穷有穷打算
要饭的看丈母娘——穷孝顺
要饭的拍照——一副穷相
要饭花子放炮——穷咋呼
钥匙挂在眉梢上——开眼界
耶稣堂关门——不讲道理
爷俩分家——另起炉灶

野地里烤火——一面热
野鸡生蛋——藏头露尾
野鸡司晨——名(鸣)声不好;名(鸣)声坏
野猫撵走家猫——喧宾夺主
夜壶摆在床底下——见不得人
夜壶不叫夜壶——臭水平(瓶)
夜壶戴草帽——混充人;装人样
夜猫子进宅——无事不来
夜猫子睡觉——睁只眼,闭只眼
夜明珠喘气——活宝
医院里的死人——走后门
衣袖揩屁股——自己搞臭自己
一辈子当会计——长期打算
一辈子卖蒸馍——受不完的气
一层布做的夹袄——反正都是理(里)
一层窗户纸——一捅就破
一个巴掌拍不响——孤掌难鸣
一个半斤,一个八两——没什么两样
一个吹笛,一个按眼——俩不顶一
一个单方吃药——同一个毛病
一个洞里的蛇——早有勾结
一个耳朵大,一个耳朵小——猪狗养的
一个锅里吃饭——彼此彼此
一个核桃两个仁儿——一样的货色
一个模子出来的——一模一样
一个马鞍上的人——同奔前程
一个皮蛋两个黄——一对混蛋
一个人拜把子——你算老几
一个染缸里的布——一色货
一个烧饼平半分——不偏不倚

一个世纪才盘点——百年大计
一毛钱买韭菜——一小撮
一个指头和面——硬捣
一根肠子通到底——直性人;直肠子
一根筷子拣花生米——挑拨
一根弦上弹曲子——单调
一跟头栽到屋外边——门里出身
一锅骨头汤——全是光棍
一锅米饭煮三年——难熬
一锅米汤煮三天——慢慢熬
一锅混汤面——糊涂到一块
一个病房的病友——同病相怜
一个将军一个令——不知听谁的
一个萝卜一个坑——一个顶一个
一个窝里的王八——龟子龟孙
一个窝里的蝎子——早有勾结
一个灯草点火——一条心
一根绳上的蚂蚱——一路货
一根绳拴俩蚂蚱——谁也跑不了
一根藤上结的苦瓜——苦相连
一根桩上拴俩驴——谁也跑不了
一家十五口——七嘴八舌
一脚踩出个屁来——赶巧了
一脚登上泰山——蹦得高
一脚门里,一脚门外——不进不出
一脚踏两只船——左右为难
一脚踏上磅秤台——举足轻重
一脚踢不出个屁来——窝囊废
一脚踢死个麒麟——不知贵贱
一镢头想挖口井——急于求成

一口吃两条牛筋——贪多嚼不烂
一口吃条绳子——有内线
一口吃下扁担——横了心
一口吞颗炸弹——心胆俱裂
一口吞下板栗球——扎心
一粒子弹打两只鸟——一举两得
一群哑巴在一起——指手画脚
一失足成千古恨——悔之莫及;后悔已晚
一手拿喇叭,一手托皮球——又吹又拍;吹吹拍拍
一手拿针,一手拿线——望眼欲穿
一手遮天,一手捂地——瞒上瞒下
一手抓泥鳅,一手逗黄鳝——两头耍滑
一双鞋丢一半——独一只
一天到晚淡茶饭——不吃香
一天三刮络腮胡——你不叫我露面,我不叫你露头
一条道走到黑——死心眼
一条犁沟走到底——死不回头
一条腿的板凳——站不住脚
一桶开水烫在狗身上——遍体鳞(淋)伤
一桶清水二手土——和稀泥
一头撞倒阎王爷——冒失鬼
一头撞在南墙上——弯都不拐;自我碰壁
一头跌到菜刀上——切肤之痛
一头栽到煤堆里——霉(煤)到顶了
一头钻进风箱里——两头受气
一碗水端平——不偏不向;不偏不倚
一文钱买十一个——分文不值
一窝老鼠不嫌臊——气味相投
一月穿三十双鞋——日日新
一张嘴巴两张皮——横说竖说都有理

一丈高的房子，丈八长的菩萨——盛不下
一丈厚的烧饼——吃不透
一只筷子吃面——独挑
一只筷子吃藕——专挑眼
一只喇叭一把号——各吹各的调
一只手吹笛——顾此失彼
一只手遮脸——独挡一面
一嘴吞了个鞋帮子——心里有底
姨太太当家——小人得志
椅子底下着火——烧着屁股燎着心
椅子折了背——没靠头
以卵击石——不自量
忆苦会开完了——不欢而散
异乡遇亲人——喜相逢
阴曹地府打官司——尽是鬼事
阴曹地府开饭店——鬼上门
阴沟里的泥巴——扶不上墙
阴沟里的蚯蚓——成不了龙
阴沟里的旋风——刮不起来
阴沟里的砖头——永世不得翻身
阴沟里洗手——假干净
阴间当妓女——下贱鬼
阴天打孩子——闲着没事干
阴天露日头——假情（晴）
阴天卖泥人——趁早收场
阴雨天的霹雳——大发雷火
阴雨天过后出太阳——重见天日
银行里发的白纸条——空头支票
银线穿金线——两相配
银圆做银镜——全是钱

寅吃卯粮——前吃后空
寅时点兵，卯时上阵——说干就干
淫妇唱淫曲——不堪入耳
引狼入室——自招祸灾
引水入墙——自招祸灾
饮鸩止渴——自取灭亡
婴儿饿肚皮——有奶便是娘
鹦鹉的嘴巴——会说不会做
鹰飞蓝天，狐走夜路——各走各的路
萤火虫的屁股——没多大亮
萤火虫斗架——明打明
萤火虫照屁股——只顾自己
用斧子裁衣裳——粗制滥造
用筷子穿针眼——难啊
邮包上吊扫帚——威信扫地
油干灯草尽——说灭就灭；奄奄一息（熄）
油画里卷国画——话（画）里有话（画）
油漆匠的家当——有两把刷子
游方的道士——四海为家
游山逛水抹眼泪——触景伤情
游僧撵住僧——喧宾夺主
游子还家——心事重重
有北屋，有南墙——不成东西
有尺水，行尺船——量力而行
有理三扁担，无理扁担三——不分青红皂白
有了五谷想六谷——贪得无厌；贪心不足
有骆驼不讲牛羊——光拣大的说
有马不骑，有车不坐——练腿劲
有钱人家的看门狗——势利眼
有衣无帽——不成一套

有枣无枣三杆子——乱打一通
又办丧事又嫁女——一番欢喜一番愁
又扮巫婆又装鬼——两面讨好
又打收兵锣,又吹冲锋号——进退两难
又咒天子又骂娘——不忠不孝
又做媳妇又做娘——三代同堂
俞伯牙摔琴——不谈(弹)了
榆木疙瘩——不开窍;难开窍
榆木疙瘩刻玉玺——不是这块料
愚公的住处——开门见山
愚公移山——非一日之功
鱼大吃虾,虾大吃鱼——弱肉强食
鱼儿得水,鸟儿入林——自由自在
鱼钩抛在河中心——放长线钓大鱼
鱼口里的水——吞吞吐吐
鱼目混珠——以假冒真
鱼吞香饵——自己上钩;不知有钩
鱼鹰下洞庭——大有作为
鱼找鱼,虾找虾,乌龟爱王八——气味相投
鱼船上打儿子——没跑;跑不了
渔翁钓鱼——坐等
与虎同穴——提心吊胆
与聋子作密语——难理会
羽毛扇扑火——惹火烧身;引火烧身
雨后穿皮鞋——拖泥带水
雨后收葱——连根拔
雨后送伞——空头人情
雨后天晴——渐渐明白
雨浇泥菩萨——土里土气;土气大
雨伞抽了柄——没有主心骨

雨天的房檐水——下流
遇到老翁叫大哥——没大没小
遇见王母娘娘叫大姑——高攀；想高攀
玉帝的手书落人间——泄露了天机
玉帝进了水晶宫——走错了门
玉帝娶亲——天大喜事
玉帝娶亲，阎王嫁女——欢天喜地
玉帝讨河神——尽是天兵天将
玉帝下请帖——天大的好事
玉帝爷出告示——神话
玉皇大帝拜财神——有钱大三辈
玉皇大帝吃稀饭——装穷
玉皇大帝打跟头——天翻地覆
玉皇大帝娶土地婆——惊天动地
玉皇大帝做媒——天作之合
玉米地里带绿豆——杂种
玉米秸里的虫——专（钻）心
玉米开花——顶上见
玉米粥里落土鳖——糊涂蛋
玉盘盛豆渣——装贱
玉石店里的珍品——精雕细刻
玉石烟袋——好嘴
玉堂春的坟——目（木）中无人
鸳鸯戏水——成双成对
冤家狭路相逢——分外眼红
原子弹炸鸟——大材小用
元旦翻日历——头一回
元宵掉进肉锅里——说他混蛋，他还心里甜
园里的橡胶树——任人千刀万剐
园艺师的手艺——移花接木

袁世凯当皇上——好景不长
圆珠笔蘸墨水——多事
远地得家书——陡增欢喜
远路人涉水——不知深浅
远水救近火——来不及
远洋轮出国——四海为家
远洋轮出海——外行(航)
远洋轮上吹笛子——想(响)得宽
院子里搭戏台——有戏唱啦
院子里挖陷阱——坑到家了
月光下散步——形影相随
月亮地里打麻将——沾光
月亮地里晒被单——白搭
月亮比太阳——差天远
月亮跟着太阳转——借光
月亮里的桂树——高不可攀
月缺花残掉眼泪——触景生情
月下老人绣鸳鸯——穿针引线
月照雪山——光明洁白
乐队里的锣鼓——任人敲打
乐队里敲破锣——不入调
乐器合奏——大吹大擂
岳庙到城隍庙——净是鬼
岳王爷出征——马到成功
云彩里盖大厦——空中楼阁
云端摘日,海底捞月——痴心妄想;妄想
云缝里的日头——最毒
云海里观山景——不识真面目
云里的浪头——高潮
云头上打靶——放空炮

运动场上赛标枪——寸土必争

运动员下跑场——你追我赶

孕妇过独木桥——铤(挺)而走险

Z

杂烩汤里的豆腐——白搭

杂货店的买卖——挑挑拣拣

杂货店关门——没货了

杂货铺子——无所不有

杂技团里的空竹——抖起来了

杂交的骡子——非驴非马

杂耍班子走江湖——逢场作戏

宰相肚里能撑船——宽宏大量;度(肚)量大

宰相门弟元帅府——门当户对

脏水倒阴沟——同流合污

脏水灌到茅屎坑——越闹越臭

脏水洗手尿涮锅,洗脸盆里捏窝头——假干净

脏拖布擦地板——不干不净

藏民穿皮袄——露一手

澡堂里的油灯——气昏了

早春的桃花——红不久

早起碰见抬轿的——出门见喜

灶边的磨子——推一推,动一动

灶倒屋塌——砸锅

灶鸡子打架——对头

灶坑里扒红薯——拣软的捏

灶坑里烧王八——憋气又窝火

灶门口写字——扒灰

灶门前的烧火棍子——焦头烂额

灶门前干活——扇风点火

灶上的炒勺——尝尽了甜酸苦辣

灶神爷跑到院里——多管闲事

灶神爷讨饭——装穷

灶台上的抹布——揩油;沾油水

灶王爷吹灯——好神气

灶王爷扔石头——砸锅

灶王爷上天——尽说吉利话;走了神

贼被狗咬——干吃哑巴亏

贼喊捉贼——转移目标

贼去了才关门——错过时机

贼上房送梯子——头号帮凶

贼偷叫花子——白费功夫

增一分太长,减一分太短——恰到好处

赠马赠笼头——好事做到底

扎鞋不拴绳结——半途而废

炸糊的辣椒拌醋糖——苦辣酸甜咸样样全

炸麻花的碰上搓草绳的——绞(较)上劲

铡刀锄地——管得宽

铡下伸驴头——刀下找食

眨眼打呵欠——扬眉吐气

炸响了的炮仗——四分五裂

炸药的捻子——一点就着;点火就着

蚱蜢碰上鸡——在劫难逃

斋公吃羊肉——开洋(羊)荤

斋公丢腊肉——不好声张

粘米遇见糍粑——难舍难分

粘皮带骨头——不利索

毡匠擀毡——厚此薄彼

毡子上拔毛——不显眼

展览会上的陈列品——样子货

展览会上的猪标本——空架子
斩草不除根——后患无穷
站在岸边看翻船——见死不救
站在房顶跳伞——水平太低
站在高山看打架——袖手旁观
站在海边打咳声——望洋兴叹
站在海滩望大海——宽大无边
站在河边撒尿——随大流
站在墙头上骑马——就高不就低
站在山顶赶大车——鞭长莫及
战场上拼刺刀——短兵相接
战地诸葛亮会——集思广益
战士出征——打上前去
战争贩子唱和平——趁机磨刀;口蜜腹剑
蘸水钢笔——没有胆
张飞摆屠案——凶神恶煞(杀)
张飞拆桥——有勇无谋
张飞唱曲子——粗声粗气
张飞撤退长坂坡——过河拆桥
张飞吃秤砣——铁了心
张飞吃豆芽——小菜一碟;小菜儿
张飞打岳飞——乱了朝代
张飞戴口罩——显大眼儿
张飞的妈妈——无事(吴氏)生非(飞)
张飞断案——粗中有细
张飞翻脸——吹胡子瞪眼
张飞哈气——自我吹嘘(须)
张飞看地老鼠——大眼瞪小眼
张飞哭刘备——凶(兄)啊
张飞卖豆腐——黑白分明;人强货不硬

张飞卖刺猬——人强货扎手
张飞骑老虎——人强马壮
张飞纫针——大眼瞪小眼;粗中有细
张飞上阵——横冲直撞
张飞讨债——气势汹汹
张飞玩刺猬——大眼瞪小眼
张飞遇李逵——黑对黑;黑上加黑
张飞战关公——不念旧情
张飞战马超——不分胜负
张弓射箭——照直进(绷)
张果老闭着眼睛吃虱子——眼不见为净
张果老倒骑驴——朝后看;背道而驰;不见畜牲面
张果老骑毛驴——倒行逆施
张家的老绝户,李家的老寡妇——孤的孤,苦的苦
张了网就走——撒手不管
张驴儿上公堂——恶人先告状
张三帽子给李四——张冠李戴
张生回头望莺莺——恋恋不舍
张生遇见崔莺莺——一见钟情
张顺浪里斗李逵——不打不相识;以长攻短
张思德烧炭——全心全意
张天师被鬼迷住——明白人也有糊涂时
张天师被女鬼迷住——甘受引诱
张天师抄了手——无法可使;有法难使
张天师得了哑病——没咒念
张天师贩寿星——倚老卖老
张天师过海不用船——自有法度(渡)
张天师画符——玩的骗人术
张天师家闹鬼——没人信
张天师叫门——内中有鬼

张天师设祭坛——呼风唤雨
张天师失去了五雷印——无法;没法
张天师卧病在床——不可救药
张天师戏何仙姑——两厢情愿
张天师下凡——降妖拿怪
张天师下海——莫(摸)怪
张天师捉妖——拿手好戏
掌磅秤的报数儿——句句有分量
长成的眉毛生就的痣——变不了;没法变
长翅膀的小鸟——早晚要飞
长疔疮的癞皮狗——走到哪臭到哪
长就的牛角——值(直)不得;直不了
长了三只手——爱偷
长了兔子腿——跑得快
长秃疮害脚气——两头不落一头
长一只耳朵的人——偏听偏信
丈八高的灯台——照见别人,照不见自己
丈八罗汉——摸不着头脑
丈二的斗笠——高帽子
丈二和尚——摸不着头脑
丈二厚的屋基——根底深
丈二金刚——摸不着头脑
丈二金刚扫地——大手大脚
丈二宽的蟒袍——大摇(腰)大摆
丈夫坟头哭爹妈——上错了坟
丈母娘拉女婿——抓住不放
丈母娘瞧女婿——越看越欢喜
丈母娘遇亲家母——婆婆妈妈
丈人瞧见傻女婿——越看越惹气
账房的算盘——一个子儿不差

帐子里哼小曲——自我欣赏
招亲招来猪八戒——自找难看
找木匠补锅——找错了人
沼泽地里的推土机——拖泥带水
照相的底片——颠倒黑白
照相馆改底片——羞(修)人
赵高的女儿——装疯卖傻
赵公元帅翻脸——不认账
赵匡胤穿龙袍——改朝换代
赵匡胤下棋——独一无二
赵匡胤押江山——大赌
赵括(战国时赵国名将赵奢之子)讲兵法——夸夸其谈
赵五娘(《琵琶记》中人物)上京——一路辛苦
赵五娘写家书——难字当头
赵云大战长坂坡——大显神威
赵云救阿斗——拼老命
赵子龙上阵——百战百胜
者字旁边安只眼——有目共睹
这山看着那山高——见异思迁
侦察员破案——暗中活动
针鼻眼里瞧韩湘子——小看仙人
针拨灯盏——挑明
针尖对麦芒——针锋相对
针尖上削铁——细索求
针挑黄连——挖苦
针吞到肚子里——心腹之患
针眼里看天——一孔之见
针毡上睡觉——坐卧不安
砧板上的蚂蚁——刀下找食
砧板上的鱼——任人宰割

珍珠没眼儿——瞎宝贝
诊脉开方——对症下药
枕木上的铁轨——明摆着
枕着扁担睡觉——想得宽
枕着烙饼挨饿——懒死了
睁眼打呼噜——昏头昏脑;昏了头
睁眼跳黄河——走投无路
睁眼瞎看告示——两眼墨黑
睁眼瞎考状元——丢人现眼
睁着眼睛尿床——明知故犯
正月初二拜丈母娘——正适时
正月初一过生日——双喜临门
正月初一见明月——机会难得
正月初一卖门神——过时货
正月初一捧元宵——个个好
正月里穿单衣——为时过早
正月里生,腊月里死——两头忙
正月里盼着桃花开——不到时辰
正月十五才拜年——晚了半月
正月十五的月亮——光明正大
正月十五卖元宵——抱成团
正月十五云遮月——不露脸
蒸包子不放馅——是个蛮(馒)头
蒸锅上放尸首——气死人
蒸锅水洗脸——发挥余热
蒸笼盖子——受不完的气
蒸笼里的馒头——自大;自我膨胀
蒸笼里伸出个头来——熟人
蒸馍蘸尿——各人所好
整筐丢西瓜,满地拾芝麻——大处不算小处算

正骨大夫——拿捏人
正晌午的太阳——光辉普照
正晌午朝南走——没影儿的事
郑家娶何家姑娘——正合适(郑何氏)
郑人买履——生搬硬套
知了掉进酒缸里——晕头转向
知了落在粘竿上——自投罗网
知县跌粪坑——赃(脏)官
蜘蛛摆下八卦阵——专捉飞来将
蜘蛛害尾巴——没事(丝)
蜘蛛结网,耗子打洞——各有各的主意
蜘蛛拉网——自私(织丝)
蜘蛛网吊死人——天下奇闻
蜘蛛走路——私(丝)连私(丝)
芝麻地里打锣——敲到点子上
芝麻地里的烂西瓜——数你大
芝麻地里的老鼠——吃香
芝麻地里长苞米——高低不齐
芝麻地里长黄豆——杂种
芝麻地里种西瓜——有大有小
芝麻豆子堆一场——不分主次
芝麻堆里藏西瓜——小中见大
芝麻堆里的臭虫——显不着你
芝麻秆做门闩——不能推敲
芝麻黄豆分不清——眼力差
芝麻开花——节节高
芝麻里的绿豆——数它大
芝麻里加虱子——乱搀和
芝麻粒掉杏筐里——不显眼
芝麻落在针眼里——巧得很

芝麻说成绿豆大——不足信;没人信

芝麻做饼——点子多;点子不少

织布娘手中的梭子——有来有去;有来有往

织女配牛郎——天作之合

直尺量曲线——没准儿

直钩钓鱼——愿者上钩

直巷赶狗——反咬一口

直性人发言——有啥说啥

纸补裤裆——越补越烂

纸糊的窗子——一点就透;一戳就破

纸糊的大鼓——经不起敲打

纸糊的灯笼——一点就透;一戳就破

纸糊的喇叭——吹不得;别吹了

纸糊的栏杆——靠不住;不可靠

纸糊的老虎——吓不住人;不咬人

纸糊的拳头——轻而易举

纸糊的扇车——担风险

纸糊的烧饼——糊弄人

纸糊的童男童女——没心肝

纸糊的眼镜——遮人眼目

纸糊的椅子——坐不得

纸糊的月亮当太阳——偷天换日

纸糊灯笼被雨浇——架子不倒

纸糊房子——不容人

纸糊洋娃娃——肚里空

纸画的猫——不咬人

纸老虎——外强中干

纸里包火——瞒不住

纸人骑石马——压不垮

纸人纸马对天烧——哄死人

纸上画刀——无关痛痒
纸元宝——肚里空
纸扎的船儿——下不得水
纸扎的大象——庞然大物
纸扎铺开张——做人又做鬼
纸做的花——无结果
只顾烧火,忘了翻锅——一处不到一处乱
只见一面锣,不见两面鼓——看问题片面
只说不练的把式——光耍嘴
只听楼梯响,不见人下来——缺乏行动
指鹿为马——混淆是非
指驴说骡子——牵强附会
指着秃子骂和尚——借题发挥
中秋过了闰八月——团圆过了又团圆
中秋节的月亮——光明正大
中秋节赏桂花——花好月圆
中山狼出了书袋子——凶相毕露
中式服装西式领——独出心裁
中药店的揩桌布——尝尽了甜酸苦辣
中药铺的家伙——不拘一格
中原逐鹿——捷足先登
钟鼓楼上的麻雀——耐惊耐怕
钟馗打饱嗝——肚里有鬼
钟馗嫁妹——鬼混(婚)
钟馗开饭店——鬼都不上门
钟馗爷站十字路口——四下拿邪
中了状元招驸马——好事成双
种麦养羊——本小利长
众人的饭——难做
众人的马,公家的驴——谁爱骑谁骑

重病不吃药——没个好
周仓斗李逵——大刀阔斧
周仓试老爷——甘拜下风
周郎妙计安天下——赔了夫人又折兵
周文王请姜太公——尽找明白人
周幽王点烽火——一笑值千金
周瑜病倒在芦花荡——气煞人
周瑜穿草鞋——穷嘟嘟(都督)
周瑜打黄盖——一个愿打,一个愿挨
周瑜请蒋干——别有用心
粥锅里煮蚯蚓——糊涂虫
妯娌赶集——同奔前程
朱德的扁担——有名有姓
珠穆朗玛峰上点灯——高招(照)
珠穆朗玛峰上听鸡叫——高调
珠子串断了线——散了
诸葛亮草船借箭——有借无还
诸葛亮当军师——足智多谋
诸葛亮的丑妻——家中宝
诸葛亮的鹅毛扇——神妙莫测
诸葛亮的锦囊——用不完的计
诸葛亮掉井里——英雄无用武之地
诸葛亮放孟获——欲擒故纵
诸葛亮焚香操琴——故弄玄虚
诸葛亮给周瑜吊孝——没安好心
诸葛亮借东风——将计就计;金蝉脱壳
诸葛亮开口——尽是计谋
诸葛亮骑木马——能说不能行
诸葛亮玩狗——聪明一世,糊涂一时
诸葛亮斩马谡——执法如山

诸葛亮战群儒——全凭一张嘴
诸葛亮皱眉头——计上心来
诸葛亮住茅庐——怀才不遇
诸葛亮做丞相——鞠躬尽瘁，死而后已
诸侯称王——各自为政
猪八戒败阵——倒打一耙
猪八戒扮新娘——好歹不像
猪八戒背稻草——要人没人，要货没货
猪八戒背烂棉絮——要人没人，要货没货
猪八戒背媳妇——费力不讨好
猪八戒不成仙——全坏在嘴上
猪八戒搽粉——遮不了丑
猪八戒吃炒肝——自残骨肉
猪八戒吃大粪——饿极了
猪八戒吃大肉——忘本
猪八戒吃核桃——囫囵吞
猪八戒吃黄连——苦了大嘴的
猪八戒吃人参果——食而不知其味
猪八戒吃西瓜——独吞
猪八戒吃小枣——囫囵吞
猪八戒吃肥皂——内秀（锈）；秀（锈）气在内
猪八戒初进高家庄——装好汉
猪八戒穿皮袄——死皮赖脸
猪八戒吹牛——大嘴说大话
猪八戒戴花——自我欣赏；不知自丑
猪八戒戴眼镜——冒充斯文；假斯文
猪八戒的脊梁——无（悟）能之辈（背）
猪八戒的嘴——贪吃贪喝；饱吃饱喝
猪八戒掉到泔水桶里——大吃大喝
猪八戒跌进酒瓮里——饱餐一顿

猪八戒丢了铁耙——傻了眼

猪八戒读诗文——冒充圣人

猪八戒逛公园——不够格

猪八戒喝泔水——各对口味

猪八戒喝磨刀水——内秀(锈);秀(锈)气在内

猪八戒驾云——大显身手

猪八戒见到高小姐——改头换面

猪八戒见了白骨精——垂涎三尺

猪八戒进了女儿国——神魂颠倒

猪八戒啃猪蹄——自残骨肉

猪八戒挎腰刀——邋遢兵

猪八戒拉着西施拜天地——配不上;不配

猪八戒犁地——好硬的嘴;嘴硬

猪八戒卖凉粉——人丑名堂多

猪八戒跑上凉亭睡——丑鬼耍风流

猪八戒打蚂蚱——笨手笨脚

猪八戒抡家伙——倒打一耙

猪八戒扫残席——狼吞虎咽;一扫光

猪八戒十八变——没有一副好嘴脸

猪八戒耍把势——倒打一耙

猪八戒耍大刀——不顺手

猪八戒甩耙子——不干了;不伺候(猴)

猪八戒弹弦子——自鸣得意

猪八戒调戏白骨精——自上圈套

猪八戒听天书——一窍不通

猪八戒投胎——走错了门

猪八戒吞大刀——光耍嘴

猪八戒下凡——没个人模样

猪八戒下山——不伺候(猴)

猪八戒掀门帘——出头露面

猪八戒笑孙猴——不知自丑
猪八戒绣花——粗中有细
猪八戒寻媳妇——痴心妄想；妄想
猪八戒照镜子——里外不是人
猪八戒照尿水——瞧你那长相
猪八戒照像——自我欣赏
猪八戒做梦娶媳妇——尽想好事
猪鼻子插大葱——装相(象)
猪耳朵做钱袋——不是这块料
猪苦胆泡黄连——苦上加苦
猪苦胆扔井里——苦得深
猪猡出痘子——肉麻
猪脑袋——死不开窍
猪脑壳做枕心——昏(荤)头昏(荤)脑
猪舔锅台——溜沟子
猪尿脬打不死人——气胀人
猪尿脬上扎一刀——气消了
猪头挂在花椒树上——肉麻
猪头抹黄连——苦恼(脑)
猪往前拱，鸡往后扒——各有各的门道
猪油倒进水缸里——昏(荤)啦
猪油蒙了心——一世糊涂
竹虫咬断竹根——同归于尽
竹竿打月亮——挨不上
竹竿顶天——差一截子
竹竿敲竹筒——空想(响)
竹篙撑排——一通到底
竹篙里捻灯草——一条心
竹筐挑水——两头空
竹篮子盛稀饭——漏洞百出

竹篮子打水——一场空
竹林里挂灯笼——高风亮节
竹林试犁——寸步难行
竹林耍大刀——打不开场面
竹林里栽柏树——亲(青)上加亲(青)
竹笼里的凤凰——有翅难飞
竹笼抬猪——露了蹄
竹膜做面子——脸皮薄
竹笋冒尖顶翻石头——腰杆子硬
竹筒沉水——自满自足
竹筒倒豆子——干脆利索;一干二净
竹筒里点火——照管
竹筒敲鼓——空对空
竹筒子吹火——只有一个心眼
竹筒子里看天——一孔之见
竹筒子里塞棉花——空虚
竹席上晒甘蔗——甜蜜(篾)
竹叶青打喷嚏——满嘴放毒
竹子扁担挑竹筐——碰上自家人
竹子当鼓——敲竹杠
竹子开花——断子绝孙
竹子长杈——节外生枝
竹子做笛——受不完的气
竹子做箫——生就的材料
煮豆燃豆萁——自家人整自家人
煮坏的饺子——露馅
煮熟的饭不吃——闷(焖)起来了
煮熟的红枣——虚胖
煮熟的鸭子——飞不了
蛀虫咬黄连——自找苦吃

蛀虫钻空大树心——暗里使坏
抓把红土当朱砂——不识货
抓把朱砂当红土——装贱
抓蜂吃蜜——恬(甜)不知耻(刺)
抓了芝麻丢西瓜——主次不分
抓住耳朵过河——多此一举
抓住鼓槌不松手——老敲打
抓住渔船当鞋穿——大手大脚
拽着大嫂叫姑姑——拉扯不上
拽着老虎尾巴抖威风——有胆有魄
专往肥肉上贴膘——势力眼
砖头砌墙——后来居上
砖窑里失火——谣言(窑烟)
砖窑旁边盖楼房——就地取材
庄户人家的孩子——土生土长
庄稼汉爬梯田——步步高升
庄稼汉扛木锨——扬长(场)而去
庄稼汉看告示——一篇大道理
庄稼人刨地——土里土气;土气大
庄稼人种豆子——步步有点
庄稼人种五谷——土生土长
装病拣药——自讨苦吃
装猫吓耗子——假的
状元府内吃蟠桃——贵人吃贵物
锥子剃头——连根拔
锥子装在口袋里——露了锋芒
桌上的油灯——不点不明
桌上拉屎,脸盆里撒尿——净干缺德事
桌子板凳一样高——平起平坐
桌子底下打拳——出手不高

桌子底下扬场——碰上碰下
桌子缝里舔芝麻——穷相毕露
桌子光剩四条腿——丢面子
捉蛤蟆买烟吸——水里来，火里去
捉了虱子跑了牛——得不偿失
捉蛇打青蛙——不干正经事
捉虱子上头——自寻烦恼
捉鱼拦上游——先下手为强
捉住毛驴当马骑——不识货
啄木鸟翻跟头——卖弄花屁股
啄木鸟飞上黄连树——自讨苦吃；自找苦吃
啄木鸟上供桌——卖弄自己
啄木鸟死在树窟窿里——全坏在嘴上
啄木鸟找食——全凭一张嘴
啄木鸟治树——入木三分
资料室搬家——尽是输（书）
紫茄子开黄花——变种
紫心萝卜——红透了
姊妹俩出嫁——各人忙各人
姊妹找婆家——各得其所
自大加一点——变臭了
自个打嘴巴——自己跟自己过不去
自家演戏自家看——自我欣赏
自己碰钉子——忍气吞声
自己挖坑埋自己——寻死；自己找死
自来水坏了龙头——放任自流
自留地里拉屎——泄私愤（粪）
自留地里撒尿——肥水不流外人田
自鸣钟的摆——摇摆不定
自行车爆胎——气炸了；气崩了

自行车上陡坡——推一推,动一动

自行车胎放了气门心——松了一口气

自行车下坡——不睬(踩)

自行车下田坎——得过且过

自由市场的买卖——讨价还价

总统府请客——高朋满座

走到渡口打转身——存心不过了

走道喝稀粥——性太急

走道闻见臭味儿——离死(屎)不远

走江湖的耍猴——拿手好戏

走江湖耍魔术——变着法儿骗人

走街串巷的流浪汉——一无所有

走了和尚走不了庙——尽管放心

走路拨算盘——手脚不闲

走路穿小鞋——活受罪

走路换草鞋——喜新厌旧

走路看脚印——一步一回头

走路拾元宝——难得的机会

走路算账——财迷转向

走路轧断腿——半途而废

走路拄双拐——求稳

走马打电话——奇(骑)谈

走马观花——不深入

走亲戚掂牛蹄——两半(瓣)子理(礼)

走煞金刚坐煞佛——苦乐不均

走上步看下步——瞻前顾后

走一步看两步——眼光远

走夜路吹口哨——虚张声势

奏着唢呐赶毛驴——吹吹拍拍

卒子过河——死不回头

祖传的被单——破烂不堪

祖传的皮袄——里外孬;里外都不好

祖孙回家——扶老携幼

祖宗三代的家务事——一言难尽

祖宗堂里供菩萨——神出鬼没

钻进风箱的耗子——受不完的气

钻在水道眼里叹息——低声下气

攥着金条进棺材——舍命不舍财;爱财如命

攥着拳头过日子——憋气;憋得难受

钻塔顶上观景——站得高,看得远;登高望远

钻头上加钢针——好厉害

钻子碰锉子——对头;死对头

嘴巴搁在锅台上——光等吃

嘴巴含钢针——说话带刺

嘴巴里藏刀子——出口伤人

嘴巴里装子弹——说话像放炮

嘴巴两张皮——咋说咋有理

嘴巴咧到耳朵上——合不拢嘴

嘴巴上戴竹筒——说直话

嘴巴上挂饭篮——不愁吃

嘴巴上挂笼嘴——吃不开

嘴巴上挂油瓶——油嘴滑舌

嘴巴一张,看得见肚肠——一贫如洗

嘴巴子上锁——难开口;口难开;不好开口

嘴吃肉,手沾油——受连累

嘴唇上贴膏药——免开尊口

嘴含盐巴望天河——远水不解近渴

嘴里吃了烂猪毛——乱糟糟

嘴里吃了鸟枪药——说话冲

嘴里灌凉风——气不顺

嘴里含冰棍——讲风凉话
嘴里嚼大葱——说话带辣味
嘴里没味嚼咸鱼——对口味
嘴里塞黄连——有苦说不出
嘴里塞棉花——憋气;憋得难受
嘴里吞旋风——口气不小
嘴里衔灯草——说得轻巧
嘴皮子抹白糖——甜言蜜语
嘴请客,手关门——虚情假意
嘴上安拉锁——说话保险
嘴上绑喇叭——走到哪儿吹到哪儿
嘴上挂蒺藜——说话带刺
嘴上挂天平——说话有分量
嘴上没毛——办事不牢
嘴上抹石灰——白说;白吃
嘴上抹猪油——油嘴滑舌
嘴上贴封条——没话可说;无话说;不好开口
嘴上说得甜,肚里怀着弯弯镰——口是心非
嘴甜甜,腰里挂弯镰——心术不正
嘴咬肚脐——够不着
醉汉过铁索桥——上晃下摇
醉汉开车——不要命
醉汉骑驴——东倒西歪
醉汉撒酒疯——无理取闹
醉后杀人——罪(醉)上加罪
醉雷公——胡批(劈)
醉翁之意不在酒——另有所图
作坊里的石磨——推一推,动一动
作茧自缚——自寻烦恼
作揖抓脚背——一举两得

左耳朵进，右耳朵出——耳旁风
左话右讲——说反话
左脚穿着右脚鞋——错打错处来
左撇子使筷子——别别扭扭
左撇子写字——不顺手
左敲鼓，右打锣——旁敲侧击
左手喇叭右手鼓——自吹自擂
左手买右手卖——不图赚钱只图快
作家的书包——里面大有文章
坐船看大戏——走着瞧
坐而论道——能说不能行
坐飞机打靶——高标准
坐飞机打摆子——抖上天了
坐飞机讲哲学——高谈阔论
坐飞机聊天——空谈
坐飞机撵西北风——大出风头
坐飞机扔相片——丢人不知深浅
坐飞机弹琵琶——高调
坐飞机写文章——高论
坐飞机演讲——空话连篇
坐火箭背喇叭——吹上天了
坐火箭上月球——远走高飞
坐轿翻跟头——不识抬举
坐轿闷得慌，骑马嫌摇晃——有福不会享
坐井观天——眼光狭窄
坐木船打阳伞——没天没地
坐南宫守北殿——不分东西
坐在茶馆乱摆手——胡(壶)来
坐在井沿上放屁——臭得不浅
坐在钱眼里摸钱边——财迷

坐在屋里看电视——远在天边，近在眼前

坐着飞机放声唱——高歌猛进

坐着火箭登天——直线上升

座山雕做寿——末日来临

做冰棍搀沙子——寒碜

做大衣柜不安拉手——抠门

做梦变蝴蝶——想入非非(飞飞)

做梦吃黄连——想得苦

做梦吃馒头——梦里见面

做梦吃仙桃——想得倒甜

做梦带救生圈——想得周到

做梦当皇帝——好景不长

做梦当司令——神气一时

做梦掉下井——虚惊一场

做梦割破胆——想得苦

做梦观烟火——快活不多久

做梦见阎王——死去活来

做梦进棺材——想死

做梦漂洋过海——想得宽

做梦推磨——想转了

做梦挖元宝——想偏心了

做梦抓大印——官迷心窍

做泥人的手艺——蹑(捏)手蹑(捏)脚

做烧饼的卖汤圆——多面手

做贼碰上劫路人——坏到一块了

做知县的丢了印——糊涂官

做砖的模，插刀的鞘——框框套套

千古系列

千古争雄	龙 虎 斗	14.00 元
千古论战	唇枪舌战	14.00 元
千古情爱	永恒话题	16.00 元
千古奇案	拍案惊奇	16.00 元

实用法律系列

中国公民常用法律法规手册	26.00 元
中国公民常用法律文书	12.00 元
中国公民现代法律观念	10.80 元
现代家庭实用法律知识手册	26.00 元
中国企业常用法律法规手册	24.00 元
中国企业常用法律文书	16.00 元

图书在版编目(CIP)数据

俏皮话儿精选9999/杨淑芳,李志华编选. -济南:山东人民出版社,1999.10

(四九宝库)

ISBN 7-209-02490-5

Ⅰ.俏… Ⅱ.①杨… ②李… Ⅲ.①汉语-歇后语-选集 Ⅳ.H136.3

俏皮话儿精选9999

杨淑芳 李志华 编选

*

山东人民出版社出版发行

(社址:济南经九路胜利大街39号 邮政编码:250001)

新华书店经销 山东日照市印刷厂印刷

*

850×1168毫米 32开本 11印张 2插页 270千字

1999年10月第1版 1999年10月第1次印刷

印数1—4000

ISBN 7-209-02490-5

Z·162 定价:15.00元